Stuttgarter Bibelstudien   59

herausgegeben von
Herbert Haag, Rudolf Kilian und Wilhelm Pesch

Lothar Ruppert

Jesus als der leidende Gerechte?

Der Weg Jesu im Lichte eines alt- und
zwischentestamentlichen Motivs

KBW Verlag Stuttgart

ISBN 3-460-03591-9
Alle Rechte vorbehalten
© 1972 Verlag Katholisches Bibelwerk GmbH, Stuttgart
Lektorat: Josef Metzinger
Umschlag: Hans Burkardt
Gesamtherstellung: Buch- und Offsetdruckerei Georg Riederer, Stuttgart

Vorwort

Vorliegende Studie basiert auf dem Schlußkapitel einer Habilitationsschrift, die unter dem Titel *Passio iusti. Eine motivgeschichtliche Untersuchung zum Alten Testament und zwischentestamentlichen Judentum* zu Beginn des Wintersemesters 1970/71 von der Theologischen Fakultät der Bayerischen Julius-Maximilians-Universität Würzburg angenommen worden ist und unterdessen als Band 5 und 6 der Reihe »Forschung zur Bibel«, Echter Verlag Katholisches Bibelwerk, erscheint.

Da im genannten Kapitel nicht zuletzt die Konsequenzen der umfänglichen alttestamentlichen Monographie auch für die neutestamentliche Theologie, speziell Christologie aufgezeigt werden, lag schon mit Rücksicht auf einen weiteren, mehr neutestamentlich orientierten Leserkreis eine getrennte Veröffentlichung nahe. Zwar ist es für einen Alttestamentler nicht gerade ungefährlich, sich auf das Gebiet neutestamentlicher Exegese zu begeben; aber um der Sache willen sollte dieses Wagnis doch unternommen werden, zumal gerade Neutestamentler (vor allem E. Schweizer) ein alttestamentliches beziehungsweise spätjüdisches Motiv vom leidenden Gerechten für ein besseres Verständnis des frühen Christus des Glaubens wie auch wenigstens teilweise des historischen Jesus angezogen haben. Die alttestamentliche Exegese hat somit, von ihrer Schwesterdisziplin befragt, Antwort zu geben. Überdies erscheint es empfehlenswert, wenn die stets, so auch heute aktuelle Christusfrage einmal ganz anders, vom Alten Testament her, angepackt wird.

Der Haupttitel der kleinen Untersuchung ist mit einem Fragezeichen versehen. Es soll lediglich davor warnen, den Weg des historischen Jesus wie die früheste Verkündigung des Christus des Glaubens einzig und allein unter der Perspektive des leidenden Gerechten zu sehen. Wenn die Frage am Schluß doch mit einem Ja beantwortet wird, so will dieses Ja nicht apodiktisch verstanden sein, sondern als eine Anfrage nicht zuletzt an die Neutestamentler, auf deren Anregung die Studie schließlich zurückgeht. Möge die Studie dazu beitragen, die nie ganz auslotbare Botschaft von Jesus dem Christus wie den ebensowenig voll zu begreifenden Weg des historischen Jesus besser zu erfassen!

Zum Schluß habe ich den Herren Professoren Dr. J. Schreiner und Dr. J. Ziegler, beide Würzburg, für mannigfache Anregungen, Herrn Prof. Dr. W. Pesch, Mainz, für die Aufnahme dieser Arbeit in die »Stuttgarter Bibelstudien« herzlich zu danken, desgleichen meinen Mitarbeitern am alttestamentlichen Seminar stud. phil. et theol. Johannes und Dorothea Beisenherz für die Erstellung der Register, und nicht zuletzt dem Verlag des Katholischen Bibelwerks für alle Mühen bei der Veröffentlichung der Studie.

Bochum, im Juli 1972   LOTHAR RUPPERT

Inhalt

ERSTES KAPITEL. Ausgangspunkte 9

I. Die Leidensgeschichte Jesu 10

II. Jesus — der »Gerechte« 13

III. »Erniedrigung und Erhöhung des ›leidenden Gerechten‹« . 14

ZWEITES KAPITEL. Das Motiv vom leidenden Gerechten im
Alten Testament und zwischentestamentlichen Judentum . . 15

I. Die geprägte Vorstellung vom leidenden Gerechten
und ihre Ursprünge 15
  1. Der vom Feind bedrängte und errettete König als
  »Gerechter« 16
  2. Die Sprecher der »Gebete der Angeklagten« und
  verwandter Psalmen als »Gerechte« 17
  3. Vor allem wegen ihrer Krankheit bedrängte,
  verleumdete sich als »gerecht« wissende Beter 18
  4. Einschlägige Texte in relativ späten Psalmen
  verschiedenster Gattungen 18
  5. Einschlägige Texte im Spruchbuch 19
  6. Einschlägige Texte bei den Propheten 19

II. Auf dem Wege zur geprägten Vorstellung vom
»leidenden (und verherrlichten) Gerechten« 20
  1. Einschlägige Texte in von der Weisheit beeinflußten
  Psalmen 20
  2. Einschlägige Texte in der Septuaginta 21
  3. Einschlägige Texte in den außerbiblischen
  Qumran-Schriften 22

III. Das Motiv vom leidenden und verherrlichten Gerechten
in seinen verschiedenen Endstufen 23
  1. Der Text Weish 2,12*-20; 5,1-7 23
  2. Anhang zum vierten Makkabäerbuch 24
  3. Das äthiopische Henochbuch 24
  4. Die Esra-Apokalypse 25
  5. Die syrische Baruch-Apokalypse 26

IV. Drei verschiedene Entwicklungslinien des Motivs
vom leidenden Gerechten 26
  1. Die weisheitliche Entwicklungslinie 26
  2. Die eschatologische Entwicklungslinie 27
  3. Die zur Apokalyptik führende Entwicklungslinie . . 27

V. Vom Skandalon zum »Dogma« der »passio iusti« . . . 28

DRITTES KAPITEL. Das Motiv vom »leidenden Gerechten«
und seine Bedeutung für die alttestamentliche Anthropologie . 29

I. Die urbildliche Gestalt des Leidenden in Israel 30
   1. Die Anthropologie der Klage- (und Dank-)Lieder
      in Spannung zu derjenigen der älteren Chokma . . . 30
   2. Herkunft und Entwicklung des »urbildlichen Leidens« . 31

II. Die sakralen Institutionen und ihre Spiritualisierung
    im Laufe der Entwicklung des Motivs vom
    »leidenden Gerechten« 39

III. Der Einfluß der Armentheologie auf das Motiv vom
     »leidenden Gerechten« 39

IV. Der Einfluß der (apokalyptischen) Märtyrertheologie
    auf das Motiv vom »leidenden Gerechten« 40

V. Das Verhältnis des Motivs vom »Leiden des Gerechten«
   zum »urbildlichen Leiden des Frommen« 41

VIERTES KAPITEL. Das Motiv vom »leidenden Gerechten«
und seine Bedeutung für die neutestamentliche Christologie,
speziell nach den Voraussagen und der Darstellung
des Leidens Jesu 42

I. Vorbereitende terminologische Klärung in Auseinander-
   setzung mit E. Schweizer 42

II. Passio Jesu (Christi) = Passio Iusti? 44
    1. Ist das Leiden Jesu (Christi) grundsätzlich als
       »Leiden des Gerechten« (passio iusti) deutbar? . . . 45
    2. Ist Jesu Leiden von der Urgemeinde beziehungsweise
       den Evangelisten tatsächlich als »Leiden des Gerechten«
       (passio iusti) verstanden worden? 48
    3. Das Motiv der »passio iusti« und die Überwindung des
       Skandalons eines leidenden und hingerichteten Messias . 58
    4. »Passio iusti« — schon Jesu Verständnis seines Weges? . 60

FÜNFTES KAPITEL. Ergebnis 72

I. Korrektur der These Schweizers 72

II. Eine neue Sicht des Weges Jesu 74

Abkürzungsverzeichnis 76

Literaturverzeichnis 78

Stellenregister 83

Sachregister 86

Erstes Kapitel. Ausgangspunkte

Vorliegende Studie will, auch wenn sie gegen Ende auf den historischen Jesus zu sprechen kommt, natürlich kein Beitrag zur Leben-Jesu-Forschung sein, zumal diese lang beliebte Forschungsrichtung schon seit A. Schweitzers[1] Bilanz, die einer »Grabrede« über sie gleichkommt,[2] heute nur mehr noch historische Bedeutung hat. Zudem ist die formgeschichtliche Forschung am Neuen Testament seit M. Dibelius,[3] K. L. Schmidt[4] und vor allem R. Bultmann[5] zur inzwischen fast wissenschaftliches Allgemeingut gewordenen Erkenntnis gelangt, daß es einfach unmöglich ist, ein Leben Jesu zu schreiben;[6] denn Leben und Botschaft des historischen Jesus sind von der Urgemeinde und den frühesten christlichen Gemeinden im Lichte des Ostergeschehens weitgehend neu verstanden und verkündigt worden, um so nach weiterführender redaktioneller Interpretation durch die neutestamentlichen Schriftsteller,[7] speziell die Evangelisten, als Christuskerygma in den neutestamentlichen Quellenschriften ihren Niederschlag zu finden. Selbst die christologischen Titel der Evangelien sind, wie F. Hahn durch seine bedeutende einschlägige Monographie[8] wahrscheinlich gemacht hat, vom historischen Jesus kaum im Sinne einer Selbstbezeichnung verwendet worden.[9] Aber wenn selbst kritische, formgeschichtlich orientierte Forscher

---

[1] Die Geschichte der Leben-Jesu-Forschung, Tübingen ([1]1906) [6]1951.

[2] *Bornkamm,* Jesus 11.

[3] Formgeschichte.

[4] Rahmen.

[5] Geschichte.

[6] Vgl. *Bornkamm,* Jesus 11; *Schneider,* Frage nach Jesus 28.

[7] Der Evangelien-Redaktion widmet die neue Methode der Redaktionsgeschichte ihr Interesse. Von den bedeutendsten einschlägigen Untersuchungen seien genannt: *H. Conzelmann,* Die Mitte der Zeit. Studien zur Theologie des Lukas (BHTh 17) Tübingen ([1]1954) [4]1962; *W. Marxsen,* Der Evangelist Markus. Studien zur Redaktionsgeschichte des Evangeliums (FRLANT 67) Göttingen ([1]1956) [2]1959; *W. Trilling,* Das wahre Israel. Studien zur Theologie des Matthäusevangeliums (Leipzig [1]1959) München (StANT 10) [3]1964.

[8] Hoheitstitel.

[9] Vgl. *Schneider,* Frage nach Jesus 16. — Zur besonderen Problematik des Menschensohntitels siehe jedoch unten Kap. 4, IV, 2.

wie R. Bultmann, M. Dibelius, G. Bornkamm und H. Braun den Versuch eines Jesus-Büchleins unternommen haben, dann sollten auch einige alttestamentliche Prolegomena zum Problem des historischen Jesus nicht verwehrt sein.

I. DIE LEIDENSGESCHICHTE JESU

Das erwähnte Hauptergebnis formgeschichtlicher Forschung am Neuen Testament scheint nun auf den ersten Blick nicht für die Leidensgeschichte Jesu (Mk 14f par) zuzutreffen, da sie wohl mit Recht den meisten Autoren als ältester Komplex evangelischer Überlieferung gilt[10] und somit den Eindruck erweckt, ein ziemlich ungetrübtes Zeugnis historischer Erinnerung zu sein. Ob Markus freilich schon eine »Urpassion« (ab Mk 14,43) vorgelegen hat,[11] ist heute allerdings nicht mehr unumstritten,[12] da der Anteil des ältesten Evangelisten am Passionsbericht mittlerweile und zwar zutreffend weit höher angeschlagen wird, als die Väter der Formgeschichte es zu tun geneigt waren. Wenn aber J. Schreiber[13] Markus als Schöpfer der Passionsgeschichte deklariert, dann geschieht dies weniger auf Grund schlüssiger form- und redaktionskritischer Argumente als vielmehr eines bloßen Postulates.[14] Man wird dagegen G. Schneider, der sich jüngst eingehend mit dem Problem einer vorkanoni-

---

[10] Vgl. *Dibelius*, Formgeschichte 180; *Schmidt*, Rahmen 305; etwas differenzierter: *Bultmann*, Geschichte 297. — Nach *Schneider*, Frage nach Jesus 86, ist die Passion »das älteste zusammenhängende Stück Jesusgeschichte, das die Christenheit erzählte«.

[11] Vgl. *Gnilka*, Jesus Christus 95; dort weitere Literatur.

[12] Vgl. *Schreiber*, Markuspassion; *Linnemann*, Passionsgeschichte 54-69.

[13] AaO. 48f; ähnlich *Linnemann*, aaO. 54.

[14] Anstatt seine durchaus legitime Arbeitshypothese, daß »nichts dagegen und alles dafür« spreche, »daß ein Einzelner und wahrscheinlich erst der Markusevangelist sich der volkstümlichen Sprache und Darstellungsmittel seiner Gemeinde und Umwelt bediente, um die Passion Jesu als Zeugnis des Glaubens zu gestalten« (aaO. 49), anschließend an Hand der Texte auf ihre Haltbarkeit zu überprüfen, begnügt sich *Schreiber* (aaO. 60) nach kurzer Untersuchung von drei Textbeispielen mit dem vielsagenden Satz: »Diese Andeutungen einzelexegetisch zu verifizieren, ist im Rahmen dieser Abhandlung unnötig«.

schen Passionserzählung befaßt und das Für und Wider sorgfältig abgewogen hat,[15] zustimmen müssen, wenn er zum Ergebnis kommt, daß »es . . . nicht auszuschließen (ist), daß ein aus Einzelperikopen entstandener ›Kurzbericht‹ schon vormarkinisch zu einer fortlaufenden Passion wurde, die einige Fugen und Nähte beseitigt hat«[16]. Jedenfalls wäre es sehr verwunderlich, wenn sich die Urgemeinde nicht schon *bald nach Ostern* mit dem Leiden Jesu beschäftigt hätte, das die Gläubigen um so mehr bewegen mußte, als sie den Gekreuzigten als den erhöhten Herrn und Messias wußten (Apg 2,33; 5,31; vgl. Phil 2,9).[17] Die zeitlichen Markierungen (vgl. Mk 14,17; 15,1.42; 16,1) und so mannigfache anscheinend unwesentliche Details der Passionsgeschichte sind so auffällig, daß selbst R. Bultmann[18] für einen kurzen Bericht von Jesu Verhaftung, Verurteilung und Hinrichtung geschichtliche Erinnerung verantwortlich machen konnte. Es wäre aber verfehlt, daraus zu schließen, daß hinter der (hypothetischen) Urpassion primär ein geschichtliches Anliegen gestanden habe.[19] J. Gnilka[20] hat vielmehr die Repetition beziehungsweise »Anamnese« als erzählerisches Strukturelement von Mk 15 wahrscheinlich gemacht, »daß fast alle . . . Szenen erzählerisch wiederholt werden, als wollten sie sich dem Hörer in ganz besonderer

---

[15] *Schneider,* Vorkanonische Passionserzählung.
[16] Ebd. 243. Vgl. die einschlägige Publikation, die mir leider nicht mehr rechtzeitig zugänglich war: L. *Schenke,* Studien zur markinischen Passionsgeschichte. Tradition und Redaktion in Mk 14,1-42 (FzB 4) Würzburg 1972.
[17] Zur Erhöhungsvorstellung vgl. W. *Thüsing,* Erhöhungsvorstellung und Parusieerwartung in der ältesten nachösterlichen Christologie: BZ NF 11 (1967) 95-108.205-222; 12 (1968) 54-80.223-240. Auf den seit *Wilkens,* Missionsreden, bes. 193, in Frage gestellten Quellenwert der Petrusreden der Apostelgeschichte kann hier nicht näher eingegangen werden; siehe dafür unten Kap. 4, Anm. 16. Zur These *Hahns* (Hoheitstitel 108f.126), die palästinensische Urgemeinde habe nur eine Erhöhungsvorstellung im Sinne einer Entrückung Jesu zu Gott in der Art des Henoch und Elia gekannt, vgl. den ausgewogenen Aufsatz *Thüsings,* aaO., dgl. R. *Schnackenburg,* in: Mysterium Salutis III/1, Einsiedeln-Zürich-Köln 1970, 249-264, bes. 251-256.
[18] Geschichte 298.
[19] Vgl. *Gnilka,* Jesus Christus 97.
[20] AaO. 98, vgl. 99; *ders.,* Verhandlungen 7f.

Weise empfehlen, seinem Gedächtnis einprägen; als käme es sehr darauf an, das Gehörte zu merken, vor dem geistigen Auge zu behalten«. Die so verstandene Anamnese verweist nämlich nach Gnilka[21] in einen innergemeindlichen Raum, »auf solche, die bereits Glaubende sind und sich ihres Glaubens vergewissern«, so daß die (kultische) Gemeindeversammlung der Raum gewesen sein wird, in dem die (hypothetische) Urpassion beziehungsweise die älteste Passionstradition entstehen konnte.

Schon M. Dibelius[22] hatte betont, daß bereits der vormarkinische Passionsbericht — dem er allerdings die Predigt als »Sitz im Leben« zuwies[23] — von *alttestamentlichen* Motiven solcher Psalmen durchzogen ist, die man heute gern »Psalmen vom leidenden Gerechten«[24] beziehungsweise »vom Leiden des Gerechten«[25] zu nennen pflegt. Wie indes J. Gnilka[26] richtig bemerkt, sind diese alttestamentlichen Reflexionen (keine eigentlichen Zitate!) für das vom Stilelement der »Anamnese« beherrschte 15 Kapitel bei Markus, weniger aber für das traditionsgeschichtlich jüngere, paränetisch ausgerichtete Kapitel 14 charakteristisch. Historisches Bewußtsein kommt nach Gnilka[27] primär erst im Stadium der Vereinigung der beiden Traditionsblöcke von Mk 14 und 15 zur Auswirkung.

Da die besagten alttestamentlichen »Motive«, vor allem im traditionsgeschichtlich unbestreitbar ältesten Kapitel 15 bei Markus, *nicht* in der Form von Reflexionszitaten auftauchen, muß man sich nun fragen, wie die Urgemeinde dazu kommen konnte, das Leiden Jesu gerade in dieser »alttestamentlichen« Weise[28] darzustellen. Hier sogleich mit M. Dibelius[29] auf den Schriftbeweis zu rekurrie-

---

[21] AaO. 99.
[22] Formgeschichte 185-189; *ders.,* Das historische Problem der Leidensgeschichte: ZNW 30 (1931) 193-201; *ders.,* La signification religieuse des récits évangéliques de la Passion: Revue d'histoire et de philosophie religieuses 13 (1933) 30-45.
[23] *Dibelius,* Formgeschichte 185.
[24] *Schweizer,* Erniedrigung und Erhöhung 50.
[25] *Gnilka,* Jesus Christus 106.
[26] AaO. 100, vgl. 100f.
[27] AaO. 102.
[28] Vgl. *Gnilka,* Jesus Christus 100.
[29] Formgeschichte 185.

ren, ist sicher fehl am Platze; denn es ist nicht ohne weiteres einsichtig, *was* denn durch jene mit alttestamentlicher Hilfe geformten Sätze »bewiesen« werden sollte. Es ist schon zuviel gesagt, daß »man . . . in bestimmten alttestamentlichen Texten — Ps 22; 31; 69; Jes 53 — das Leiden Jesu im voraus geschildert (fand)«[30]; denn die Urgemeinde wird schwerlich die Schrift (das heißt das Alte Testament) aufgeschlagen haben, um darin Texte zu finden, die sie in die Lage versetzen konnte, mit dem Skandalon des am Kreuz gestorbenen Messias fertig zu werden. Das ist nicht nur viel zu rationalistisch gedacht, sondern wird auch dem von Gnilka aufgezeigten »anamnetischen« Charakter von Mk 15 in keiner Weise gerecht, der mit Apologetik einfach nichts gemein hat. Der Grund hierfür muß tiefer liegen. Ihn aufzudecken ist das Ziel unserer Studie. Zwei weitere Ausgangspunkte, von denen nun zu sprechen ist, können am ehesten zum richtigen Weg führen.

II. JESUS — DER »GERECHTE«

An nicht weniger als 7 Stellen des Neuen Testaments (Mt 27,19; Lk 23,47; Apg 3,14; 7,52; 22,14; 1 Petr 3,18; 1 Joh 2,1) wird Jesus als »Gerechter« verstanden beziehungsweise direkt »der Gerechte« genannt, und zwar mit Ausnahme von Apg 22,14 jedesmal im Zusammenhang mit seinem Leiden oder doch wie 1 Joh 2,1 mit seinem Sühnopfer. H. H. Dechent,[31] der erstmals ausdrücklich auf jene Stellen hinwies, konnte in der Bezeichnung »der Gerechte« sogar einen messianischen Titel sehen. Wenn auch hier nicht auf die traditionsgeschichtlich ungleichgewichtigen Texte eingegangen werden kann,[32] so muß man doch jetzt schon festhalten, daß zumindest in späterem neutestamentlichem Schrifttum (im lukanischen Doppelwerk) die geprägte Vorstellung von Jesus als dem leidenden *Gerechten* belegt zu sein scheint. Deswegen ist es gerechtfertigt, von daher die Darstellung der Passion Jesu mit Motiven aus den Psalmen vom leidenden Gerechten versuchsweise verständlich zu machen.

---

[30] Ebd.
[31] Der »Gerechte«.
[32] Hierzu Näheres unter Kap. 3, I, 3.

III. »ERNIEDRIGUNG UND ERHÖHUNG DES ›LEIDENDEN GERECHTEN‹

Unter dem Titel »Erniedrigung und Erhöhung bei Jesus und seinen Nachfolgern« hat E. Schweizer im Jahre 1955 eine vielbeachtete Monographie veröffentlicht. In ihr geht er davon aus, daß Jesus die Jünger in seine Nachfolge gerufen und den so Gerufenen vor kommender Herrlichkeit Leiden und Entbehrungen in Aussicht gestellt hat, wie er selbst in Caesarea Philippi auch seinen eigenen Weg von der Verwerfung durch die Menschen und vom kommenden Leiden überschattet gesehen habe.[33] Für Jesus und seine Nachfolger, die mit seinem schmachvollen Tod konfrontiert wurden, so fragt Schweizer,[34] müßte es doch eine Konzeption gegeben haben, auf Grund deren gerade dieser Weg verständlich werden konnte. Schweizer abstrahiert nun aus alttestamentlichen, noch mehr aber spätjüdischen (apokalyptischen wie rabbinischen) Texten ein Schema von Erniedrigung und Erhöhung des leidenden Gerechten,[35] das mit der Vorstellung vom (irdischen) Menschensohn verbunden worden sei.[36] Nun entspreche das im Spätjudentum verbreitete Schema von der Erniedrigung und Erhöhung des leidenden Gerechten »dem tatsächlichen Weg Jesu derart, daß es höchst verwunderlich wäre, hätte man Jesu Weg nicht darin vorgezeichnet gesehen«[37]. Daß dies tatsächlich geschehen sei, beweise »die Passionsgeschichte, die voller Anspielungen auf die Psalmen vom leidenden Gerechten« sei, während Jes 53 erst in einem späten Stadium dazu komme.[38]

---

[33] *Schweizer,* Erniedrigung und Erhöhung 21.
[34] AaO. 21f.
[35] AaO. 21-33.
[36] AaO. 44-48.
[37] AaO. 50.
[38] Ebd.

Zweites Kapitel
Das Motiv vom leidenden Gerechten im Alten Testament und zwischentestamentlichen Judentum

Da es im Rahmen der kleinen Studie unmöglich ist, Schweizers Argumente im einzelnen zu prüfen, sei im folgenden zunächst kurz mitgeteilt, ob die alt- und zwischentestamentliche Literatur tatsächlich — wie Schweizer annimmt — das Motiv vom erniedrigten und erhöhten »leidenden Gerechten« kennt.[1] Im letzten Hauptteil der vorliegenden Studie wird sich dann schon ergeben, ob das von Schweizer vertretene Schema »*Erniedrigung und Erhöhung* des leidenden Gerechten« als wirklicher Schlüssel zum Verständnis der ältesten Christologie wie des Selbstbewußtseins Jesu gelten kann.

I. DIE GEPRÄGTE VORSTELLUNG VOM LEIDENDEN GERECHTEN UND IHRE URSPRÜNGE

E. Schweizer hat die seiner Überzeugung nach im Spätjudentum verbreitete Vorstellung vom leidenden und erhöhten Gerechten bezeichnenderweise nicht mittels Belegstellen aus den »Psalmen vom leidenden Gerechten« abzustützen versucht, offensichtlich weil jene Psalmen nichts für die Schweizer äußerst wichtige Vorstellung von der Erhöhung des Gerechten abwerfen. Damit ist eine erste Schwäche seiner Position angedeutet: Es wird nicht deutlich, welche Beziehung die Vorstellung vom leidenden und erhöhten Gerechten zum Motiv vom leidenden Gerechten jener Psalmen hat, die nach Schweizer[2] als »Psalmen vom leidenden Gerechten« die Darstellung der Passionsgeschichte maßgeblich beeinflußt haben. Schweizers Verfahren erweckt in höchstem Maße den Eindruck des Eklektizismus; das heißt ohne auf motiv- und traditionsgeschichtliche Zusammenhänge zu achten, werden einfach solche alttestamentlichen be-

---

[1] Näheres hierzu im ersten Band meiner Habilitationsschrift: Der leidende Gerechte.
[2] Erniedrigung und Erhöhung 50.

ziehungsweise spätjüdischen Texte ausgewählt, die der eigenen Hypothese entgegenkommen. Immerhin gebührt Schweizer das Verdienst, auf die Psalmen vom leidenden Gerechten als den Hintergrund der Passionsdarstellung aufmerksam gemacht zu haben.

Wenn man zunächst die individuellen Psalmen auf das jeweilige Vorhandensein der beiden Elemente »Gerechtigkeit« und »Feindbedrängnis« des Beters unter Berücksichtigung ihrer Gattung und ihres »Sitzes im Leben« hin untersucht, stellt sich die Vorgeschichte des Motivs vom »leidenden Gerechten« wie folgt dar.

1. Der vom Feind bedrängte und errettete König als »Gerechter«

Die Elemente »Feindbedrängnis« und »Gerechtigkeit« des Beters begegnen erstmals im alten Königsdanklied Ps 18 = 2 Sam 22. Der König, vielleicht sogar David selbst, weiß sich gemäß *eigener* »Gerechtigkeit« *(ṣdḳ/ṣdḳh)* von Jahwe aus lebensbedrohender Feindbedrängnis errettet (Ps 18, [21]. 25).[3] Der davidische König erscheint somit noch nicht schon deswegen als »gerecht«, weil er von (nationalen) Feinden bedrängt wird, sondern durch die göttliche Errettung *aus* Feindbedrängnis. Dabei ist hier anstehende »Gerechtigkeit«, weil menschliche Gerechtigkeit, nicht mit dem sonst ebenfalls »Gerechtigkeit« genannten göttlichen Heilserweis[4] identisch, vielmehr macht dieser die Gerechtigkeit des Frommen, das heißt hier des Königs, erst transparent, offenbar. In abgeschwächtem Maße gilt dies auch da, wo der Beter nicht entsprechend seiner eigenen, sondern gemäß Jahwes Gerechtigkeit um Rechtshilfe bittet (Ps 143,1.11; dgl. 5,9; 31,2; 71,2; 119,40), da eine solche Rechtshilfe für einen Nicht-Gerechten, das heißt einen Frevler *(rŝ‘)* ausgeschlossen ist.

---

[3] Einzig V. 25 scheint zum ursprünglichen Bestand von Ps 18 gehört zu haben. V. 21 dürfte erst nach Zwischenschaltung der dt/dtr orientierten Verse 22-24 hinzugekommen sein, so daß V. 25 nun wie eine bloße Wiederaufnahme von V. 21 aussieht. Näheres hierzu in: *Ruppert,* Der leidende Gerechte Kap. 2, § 1, A, I, 1.

[4] Man vergleiche etwa den berühmten ältesten Beleg für ṣdḳh in Ri 5,11.

2. Die Sprecher der »Gebete der Angeklagten« und verwandter Psalmen als »Gerechte«

In traditionsgeschichtlich jüngeren Psalmen begegnen die Elemente »Gerechtigkeit« und »Feindbedrängnis« des Beters im Rahmen von individuellen Klageliedern, die als »Gebete der Angeklagten«[5] beziehungsweise als diesen nachgebildete Psalmen zu gelten haben. Diese Klagelieder enden bisweilen[6] mit einem Dankversprechen beziehungsweise Dankgelübde für den Fall der Errettung. Die betreffenden Beter sind (ursprünglich auf den Tod) angeklagt und erbitten (in frühester Zeit wohl im Verlauf eines Untersuchungsverfahrens im Heiligtum) unter Beteuerung ihrer Unschuld[7] und unter Hinweis auf die Verlogenheit ihrer Feinde[8] die Erklärung ihrer »Gerechtigkeit« (Gemeinschaftstreue) oder die Hereinnahme in den Bereich der »Gerechtigkeit« (Gemeinschaftstreue) Jahwes.[9] Die gegenüber den Feinden erbetene Rechtshilfe Jahwes, die sich in deren Bestrafung äußerte,[10] stellte gleichzeitig die göttliche Bestätigung der von diesen Widersachern bestrittenen »Gerechtigkeit« des Beters dar.[11] Was Jahwe seinem bedrängten erwählten König (vgl. 2 Sam 7; Ps 89) durch günstigen Ausgang des Kampfes gewährte (Ps 18 = 2 Sam 22), das gewährte er in der Folgezeit — nach israelitischer Überzeugung — dem einzelnen bedrängten »Gerechten« durch positiven Rechtsentscheid (Heilsorakel[12]) im Heiligtum. Wenn auch der fromme Beter solcher Psalmen nicht als »Gerechter«, als »Gemeinschaftstreuer« bedrängt wird, so trifft die Bedrängnis de facto doch

---

[5] Grundlegend hierfür, wenn auch mittlerweile in manchem überholt, ist: H. *Schmidt*, Gebet. Näheres hierzu in: *Ruppert*, Der leidende Gerechte Kap. 1, § 4, D-F.

[6] Ps 7,18; 54,8f; 56,13f; 57,8-12; 59,17f; vgl. 35,28; 69,31-34; 71,22-24.

[7] Vgl. Ps 7,9; 26,1.6.11; 41,13; dgl. 17,3-5 u. ö.

[8] Zum Ganzen vgl.: *Ruppert*, Der leidende Gerechte Kap. 2, § 1, B.

[9] Vgl. Ps 5,9; 7,9; 17,1f; 31,2; 25,23f; 71,2; 119,40; 143,1.

[10] Vgl. Ps 7,7-9a.10b; 17,13f; 35,24-26 u. ö.

[11] Vgl. etwa Ps 7,4-10; 35,23-28.

[12] Das priesterliche Heilsorakel, dessen Existenz *J. Begrich*, ZAW 52 (1934) 81-92 auf Grund von Texten bei Deuterojesaja erwiesen hat, ist im Psalter nur mehr spurenhaft vorhanden (Ps 27,14; 55,23; vgl. auch 22,3; 35,22; 39,13; 69,34; 107,20; 143,8).

einen solchen, wenngleich dies erst im kultischen Untersuchungsver-
fahren offenbar wird. Schließlich ist sich der Bedrängte schon *vor*
Jahwes Rechtsentscheid seiner »Gerechtigkeit« bewußt, selbst wenn
er es möglichst vermeidet, sich selber einen »Gerechten« *(ṣaddiq)* zu
nennen. Daß diese seine »Gerechtigkeit« von den Gegnern in Frage
gestellt wird, empfindet der Fromme vielleicht noch schmerzlicher als
die konkrete Anklage an sich. In den jüngeren individuellen Klageliedern ist das ursprünglich echte Gebet der Angeklagten zu einem bloßen Schema für den bedrängten, verfolgten »Gerechten« geworden, um im Heiligtum oder fern von ihm (vgl. Ps 42/43) die Errettung aus Feindbedrängnis zu erflehen.

3. Vor allem wegen ihrer Krankheit bedrängte, verleumdete sich als »gerecht« wissende Beter

In den jüngeren individuellen Klageliedern sind die Elemente »Verleumdung«, »hinterhältige Machenschaften« der Feinde weitgehend
an die Stelle der früheren akuten, lebensbedrohenden falschen Anklage getreten (vgl. Ps 140; 141). So dringt das Motiv vom *verfolgten* »Gerechten« insbesondere in das Gebet der *Kranken* ein, selbst
dann, wenn der Beter seine Krankheit als Strafe Jahwes versteht
(Ps 38; 69).

4. Einschlägige Texte in relativ späten Psalmen verschiedenster Gattungen

Wie O. Keel[13] gezeigt hat, wurden im Laufe der Traditionsgeschichte (vor allem in nachexilischen Psalmen) die neutralen Feind-
bezeichnungen vom Typ *'ojeb* (= Feind, Widersacher) immer mehr
von solchen vom Typ *rāšāʿ* (= Frevler, Gottloser) abgelöst, »und
zwar in dem Sinn, daß der Beter in ihnen seine Feinde als Vertreter
des alten ›Anti-Ideals‹ der weisheitlichen Unterweisung identi-
ziert«[14]. Jene Psalmen reden schon in viel allgemeinerem Sinn von
der Bedrängnis *und* der Errettung des »Gerechten«.

---

[13] Feinde 118-129.
[14] AaO. 123.

5. Einschlägige Texte im Spruchbuch

Das Spruchbuch stellt gerne das Ideal des »Gerechten« und das schon erwähnte »Anti-Ideal« des »Frevlers« *(rāšāʿ)* gegenüber, ohne daß dabei das Motiv vom »leidenden Gerechten« irgendwie zum Tragen käme. Immerhin begegnet in Spr 24,16 das Eingeständnis, daß der »Gerechte« siebenmal (durch Frevler?) zu Fall kommt, allerdings mit der Hinzufügung, daß er wieder aufsteht, die Frevler dagegen ins Unheil straucheln.

6. Einschlägige Texte bei den Propheten

Nicht so sehr fallen Scheltworte vorexilischer Schriftpropheten (vgl. Am 2,5; 5,11; Jes 5,23; dgl. 29,21) ins Gewicht, welche die Bedrückung und Bedrängnis von »Gerechten« durch sozial Stärkere geißeln. Sie können aber den Hintergrund des einen oder anderen der für das »Leiden des« beziehungsweise »der Gerechten« in Frage kommenden Psalmen erhellen. Schon weiter führen Texte bei Habakuk und Deuterojesaja. So wird Habakuk, wenn er von der Bedrängnis des »Gerechten« (= Juda) durch den geheimnisvollen »Frevler« (wahrscheinlich = Assur) spricht (Hab 1,4.13; vgl. 2,4), wohl schon die geprägte Vorstellung des »leidenden Gerechten« im übertragenen Sinne auf einen konkreten Fall (Juda — Assur) angewandt haben. — Noch beachtenswerter ist das 4. Gottesknechtslied (Jes 52,13-53,12). Gewiß handelt der Text nicht primär vom »leidenden Gerechten«, sondern vom »leidenden *Propheten*«; der Knecht Jahwes ist zweifelsohne eine vornehmlich prophetische Gestalt (vgl. Jes 42,1; 49,1b). Er leidet, wie man mit Hilfe des 3. Gottesknechtsliedes (Jes 50,4-9) für das 4. Lied erschließen kann, wegen seiner (prophetischen) *Botschaft*. Insofern ist er mit dem leidenden Jeremia (vgl. die Konfessionen des Propheten und Baruchs Leidensgeschichte Jeremias) in die gleiche Linie zu stellen. Und doch darf man einen deutlichen Bezug zum Motiv vom »leidenden Gerechten« nicht übersehen. Zunächst bestehen wie bei Jeremias Konfessionen *formale* Beziehungen zum Psalter, in dem das Thema vom bedrängten Gerechten ja eine überragende Rolle spielt. Wie J. Begrich[15]

---

[15] Studien zu Deuterojesaja ([1938], Nachdruck in: Theologische Bücherei, Altes Testament 20, München 1963) 62-66.

nämlich aufgezeigt hat, rahmt der Gottesspruch von Jes 52,13. 14aα.15 und 53,11aβ.b.12 zwei parallele Berichte von der Art eines *individuellen Dankliedes* (Jes 53,1f; 52,14aβ.b; 53,3-9 und 53, 10.11aα). Da das individuelle Danklied Motive des individuellen Klageliedes aufzugreifen pflegt, ja geradezu dessen Entsprechung ist, muß man schon auf Grund der in Jes 53 vorliegenden Gattung mit der Möglichkeit des Motivs vom verfolgten, bedrängten »Gerechten« rechnen. Diese Erwartung bestätigt sich, insofern der leidende Knecht Jahwes Jes 53,11 ausdrücklich »Gerechter« genannt wird. Der erste Stichos dieses textlich problematischen Verses ist wahrscheinlich so zu übersetzen: »Nach der Mühsal seiner Seele wird er ›Licht‹ sehen und satt werden an seiner Erkenntnis als Gerechter«[16] Man kann hier wohl schon den Gedanken der *»passio et glorificatio iusti«* (Leiden und Verherrlichung des Gerechten) ausgedrückt sehen, der in den um die Bedrängnis des Gerechten kreisenden individuellen Klageliedern mit Dankgelübde beziehungsweise in den individuellen Dankliedern vorbereitet war, um in den noch zu erwähnenden weisheitlich orientierten Psalmen (wie Ps 34; 119) weiter entwickelt zu werden. Insofern Jes 53,11aα den ehemals Leidenden als »gerecht« bezeichnet und der anschließende Gottesspruch (Jes 53,11aβ.12) eben diesen als ʿabdi (= mein Knecht) darstellt (V. 11aβ), ist hier das typisch *prophetische* Motiv vom »leidenden *Propheten*« mit dem *allgemeineren* vom »leidenden *Gerechten*«, das sonst in Jes 53 weniger zum Tragen kommt, verbunden.

II. AUF DEM WEGE ZUR GEPRÄGTEN VORSTELLUNG VOM »LEIDENDEN (UND VERHERRLICHTEN) GERECHTEN«

1. EINSCHLÄGIGE TEXTE IN VON DER WEISHEIT BEEINFLUSSTEN PSALMEN

Die Psalmen 34 und 37, die den Einfluß der Weisheit nicht verleugnen können, stellen die Verfolgung beziehungsweise lebensbedro-

---

[16] Vgl. BHS z. St.; dazu: *Ruppert*, Der leidende Gerechte Kap. 2, § 2, A II, 6.

hende Bedrängnis des »Gerechten« durch »Frevler« als Erfahrungs-
tatsache fest. Eine zeitweilige Bedrängnis des Gerechten erscheint
jenen Psalmisten nicht mehr als innerer Widerspruch; ja der Verfasser von Ps 34 räumt sogar ein: »*Viele* sind die Leiden des Gerechten« (V. 20a), um jedoch sogleich hinzuzufügen: »Aber aus ihnen
allen errettet ihn Jahwe« (V. 20b). Allerdings wird die Bedrängnis
nicht mit dem Wesen oder der Bestimmung des »Gerechten«, sondern mit dem Charakter des »Frevlers« in Verbindung gebracht.
Etwas anders liegen die Dinge in dem deutlich von der Weisheit beeinflußten anthologischen Psalm 119,[17] wo die Verfolgung beziehungsweise Anfeindung des frommen Beters mit der Ablehnung
des Gesetzes Jahwes durch die Frevler verknüpft, man kann fast
sagen, motiviert wird.[18]

2. Einschlägige Texte in der Septuaginta

a) Die Septuaginta der protokanonischen Schriften

Der Septuaginta ist eine gewisse Vorliebe für die Vorstellung vom
bedrängten »leidenden Gerechten« nicht abzusprechen. So trägt sie
Jes 3,10 (ähnlich Ijob 9,22f) das Motiv erst in den Bibeltext hinein
oder verstärkt es wenigstens (Jes 53; Spr 1,11; 6,17). Dies ist zum
Teil auf ihre Armen-Theologie[19] zurückzuführen (vgl. Ps 9,29
LXX: μετὰ πλουσίων: mit Reichen); die von den Gottlosen, das
heißt den Mächtigen und Reichen unterdrückten Gerechten (Spr
19,22; 28,28, vgl. auch 11,15) sind letztlich mit den Armen identisch. Möglicherweise sind jene Texte aber auch unter Umständen
Reflex einer für gesetzestreue Juden verschiedentlich bedrängnis-
vollen Diasporasituation.

b) Die Susanna-Legende

Daß auch beginnende jüdische Märtyrertheologie bei den fraglichen
Texten der Septuaginta mit im Spiel sein kann, wird vor allem in

---

[17] Vgl. *A. Deißler*, Psalm 119 (118) und seine Theologie. Ein Beitrag zur
Erforschung der anthologischen Stilgattung im Alten Testament (Mün-
chener Theologische Studien I, 11) München 1955.
[18] Näheres hierzu in: *Ruppert*, Der leidende Gerechte Kap. 2, § 1, D, IV.
[19] Näheres hierzu ebd., Kap. 2, § 2, B II, 1c.

der Susanna-Legende deutlich, die mit den Märtyrerlegenden des Danielbuchs verwandt ist. Die unschuldige, auf den Tod angeklagte, aber von Daniel wunderbar gerettete Susanna erscheint deutlich als »leidende Gerechte« (vgl. Sus 2f»ϑ'«.23.35.53 LXX, »ϑ'«)[20]. Schon bei der LXX-Fassung von Jes 53 darf man einen gewissen Einfluß jüdischer Märtyrertheologie voraussetzen.[21] Die Märtyrerlegenden des 2. Makkabäerbuches (6,18-7,41)[22] selbst haben freilich kaum etwas mit dem Motiv vom *leidenden Gerechten* gemein, da hier wie überhaupt in den ausgesprochenen Martyrien nicht so sehr das Leiden der Märtyrer als solches als vielmehr deren Zeugnis (das Leiden wegen des Zeugnisses wie das Leiden als Zeugnis) im Mittelpunkt steht, zumal die Märtyrer selbst — wenigstens in 2 Makk — nicht expressis verbis Gerechte genannt werden.

3. Einschlägige Texte in den ausserbiblischen Qumran-Schriften

Während der Befund in den sogenannten Kommentaren (Pescharim) vielleicht mit Ausnahme des Kommentars zu Psalm 37 (4QpPs37) eher negativ ist, kommt das Motiv vom *leidenden Gerechten* in gewisser Weise in den Lobliedern (Hodajot) zum Tragen.[23] Der »Lehrer der Gerechtigkeit« weiß sich nach dem Zeugnis der wahrscheinlich von ihm selbst stammenden Hodajot (im wesentlichen = 1QH 2-8) gleichsam in der Reihe der *leidenden Gerechten* des Psalters, aber auch bedeutsamerweise in der Situation des Propheten Jeremia, da er sein Leben als *passio iusti* (Leiden des Gerechten) in der Art der *passio Ieremiae prophetae* deutet. — Der schlichte Beter von Qumran rechnet mit der Bedrängnis durch Feinde (vgl.

---

[20] Das Siglum für Theodotion ϑ' ist in Anführungszeichen gesetzt, weil der so bezeichnete Daniel-Text schwerlich auf Theodotion selbst zurückgeht; vgl. die Daniel-Edition von *J. Ziegler*, Göttingen 1954, 29f (Anm.) und 61f.

[21] Zu Jes 53 LXX vgl. *F.-K. Euler*, Die Verkündigung vom leidenden Gottesknecht aus Jes 53 in der griechischen Bibel (BWANT 66) Stuttgart 1934.

[22] Zu den jüdischen Martyrienlegenden vgl. *H. W. Surkau*, Martyrien in jüdischer und frühchristlicher Zeit (FRLANT 54) Göttingen 1938.

[23] Vgl.: *Ruppert*, Der leidende Gerechte Kap. 3, § 2.

1QH 2,20-30; 3,37-4,4), ja er hält diese sogar als gottgewollte Durchgangsstation der Gerechten zur eschatologischen Errettung für eine Selbstverständlichkeit (vgl. 1QH 15,14-17).

III. DAS MOTIV VOM LEIDENDEN UND VERHERRLICHTEN GERECHTEN IN SEINEN VERSCHIEDENEN ENDSTUFEN

Die bisher kurz angeführten Texte enthielten mehr oder weniger nur *Vorstufen* des Motivs von dem beziehungsweise den leidenden Gerechten, insofern erst das Komplementärmotiv von der (endzeitlichen) Verherrlichung des (leidenden) Gerechten dem Leiden des Gerechten selbst eine ganz andere Qualität verleiht. Was in dem zuletzt erwähnten Qumran-Text (1QH 15,14-17) schon angeklungen ist, konnte erst nach dem Durchbruch apokalyptischer Denkweise, zumindest nach Aufkommen des Auferstehungsglaubens (vgl. Dan 12,2f) zu einem volltönenden Akkord werden.

1. DER TEXT WEISH 2,12*-20; 5,1-7

Zum ersten Mal begegnet das vollausgebildete Motiv der *passio iusti* (Leiden des Gerechten) in einer offenbar palästinensischen, aus dem ausgehenden ersten Drittel des ersten vorchristlichen Jahrhunderts stammenden Vorlage des hellenistischen Weisheitsbuches der Septuaginta. Da der Text in zwei vom Redaktor beziehungsweise Verfasser des Weisheitsbuches allzu stark von einander getrennten Passagen (2,12*-20 und 5,1-7) vorliegt, die wie zwei Flügel eines Altars deutlich einander entsprechen, spricht man am besten von einem *Diptychon*.[24] Hinter dem geheimnisvollen, gewaltsam zu Tode gebrachten »Gerechten«, übrigens einer Aktualisierung des leidenden Gottesknechtes von Jes 52,13-53,12, verbirgt sich ursprünglich ein gesetzestreuer Märtyrer aus der Richtung der Pharisäer oder (noch eher) ihrer asidäischen Vorläufer (Jose ben Joëser?). Seine nicht näher bezeichneten Todfeinde sind wohl als religiös-liberale

---

[24] Vgl. ebd., Kap. 2, § 2, B III, 2.

Sadduzäer gezeichnet, die sich durch seine esoterische Frömmigkeit und sein Erwählungsbewußtsein (vgl. Weish 2,13.16) zum Mord an ihm hinreißen lassen (Weish 2,20). Der Gerechte tritt jedoch, am ehesten nach seiner vom Verfasser der Sapientia retuschierten Auferstehung, in himmlischer Herrlichkeit seinen ehemaligen Bedrängern als stummer Belastungszeuge gegenüber, so daß diese sich selbst das Urteil sprechen (Weish 5,1-7). Der Verfasser des Weisheitsbuches hat diese Vorlage benutzt, um sie mehr oder weniger glücklich im Rahmen ihres neuen Kontextes (vgl. Weish 2,10f; 3,5f) in Aussagen über das Leiden *der* Gerechten im Sinne der Armen- und Erziehungstheologie der gleichfalls in Alexandrien entstandenen Septuaginta umzuinterpretieren.

2. ANHANG ZUM VIERTEN MAKKABÄERBUCH

In dem aus jüdischen eschatologischen Kreisen des ausgehenden 1. nachchristlichen Jahrhunderts stammenden Anhang des vierten Makkabäerbuches (18,6b-19) wird das Martyrium der sieben makkabäischen Brüder als »Leiden der Gerechten« gedeutet.[25] Bemerkenswert ist, daß der Weg der Gerechten durch (Bedrängnis- und Todes-)Leiden zur Auferstehung als göttliche Bestimmung, weil *schriftgemäß* erscheint (vgl. das Zitat aus Ps 34,20a in 4M 18,15).

3. DAS ÄTHIOPISCHE HENOCHBUCH

Während in den sogenannten *Bilderreden* des Henochbuches (Kap. 37-69 [70f] das Motiv der *passio iustorum* (Leiden der Gerechten) nur eben anklingt (vgl. 47,1f.4; 48,7; 62,12), spielt das Leiden der Gerechten im sogenannten paränetischen Buch (92; 91,1-10.18f; 94-104 [105]) eine um so größere Rolle.[26] Hier sind im wesentlichen zwei Traditionskomplexe zu nennen: die nun über das ganze Buch verstreuten *fünf Weherufe über die Sünder* (95,7; 96,8, 98,13f; 100,7) und eine (erhörte) *Klage der Gerechten* (103,5c.6.9b.c-15; 104,3). Liegt in den Weherufen der Schwerpunkt auf den Verbre-

---

[25] Vgl. ebd., Kap. 3, § 1.
[26] Vgl. ebd., Kap. 3, § 3, A.

chen der Sünder an den Gerechten, so in der Klage auf der Bedrängnis der Gerechten. Letztere wird als irdische Existenzweise der Frommen schlechthin gezeichnet. Diese bereitet den Gerechten freilich schlimme Anfechtungen, die durch den Hinweis auf das eschatologische Gericht (104,3) überwunden werden sollen. Der um die Mitte des 1. vorchristlichen Jahrhunderts schreibende apokalyptisch eingestellte Verfasser des paränetischen Buches hat die Klage der Gerechten durch Dekomposition und Rahmung ihres anstößigen Charakters entkleidet und zu einem nach dem Tod erfolgten Rückblick umgestaltet sowie durch die Verheißung ewiger Herrlichkeit verklärt (104,1f.4-6). Die beiden Texte, die man ebenfalls wohl als einen Reflex der (hasmonäisch-sadduzäischen) Pharisäerverfolgung, vor allem unter Alexander Jannaios (102-76 v. Chr.) verstehen darf, dienen nun der paränetischen Zielsetzung des Buches, die angefochtenen bedrängten Frommen in ihrer eschatologischen Hoffnung zu bestärken.

4. Die Esra-Apokalypse

Eine nationale Variante des *passio-iusti-Motivs* findet sich in der Esra-Apokalypse des ausgehenden 1. nachchristlichen Jahrhunderts.[27] Sie führt die besondere Bedrängnis der Gerechten, das heißt im wesentlichen des jüdischen Volkes im Gefolge des ersten fehlgeschlagenen jüdischen Aufstandes gegen die Römer (66-73 n. Chr.), in diesem schlimmen Äon auf die in eben diesem Äon erschwerte Erfüllung des Gesetzes sowie auf den praktischen Atheismus ihrer heidnischen Feinde zurück (vgl. 7,79.89.96; 8,27.56-58). Die auf das erwählte Volk übertragene geprägte Vorstellung vom Leiden des beziehungsweise der Gerechten half dem Apokalyptiker, zwei seiner Theodizeeprobleme zu lösen: die Zertretung und weitgehende Vernichtung des erwählten Volkes durch die Heiden (vgl. 3,27.30) und die endgültige Verwerfung der großen Masse der Sünder, das heißt hauptsächlich der Heiden (vgl. 7,17 u. ö.).

---

[27] Vgl. ebd., Kap. 3, § 3, B.

5. Die syrische Baruch-Apokalypse

Ähnlich (und noch stärker) wie schon der Verfasser von 4Esd bietet der Autor der gegen Anfang des 2. nachchristlichen Jahrhunderts entstandenen syrischen Baruch-Apokalypse eine nationale Anwendung des *passio-iusti-Motivs*.[28] Er hat das (Bedrängnis-) Leiden der Gerechten, das heißt des relativ gerechten, von den Heiden zertretenen erwählten Volkes, direkt zum Dogma erhoben (vgl. 15,7f). Ja, ihre Verfolgung in diesem schlimmen Äon ist den Gerechten ein Beweis ihrer Erwählung für den kommenden, glücklichen Äon und daher für sie ein Grund zur Freude: »Habt eure Lust am Leiden, das ihr heute leidet! Weswegen schaut ihr aus, daß eure Hasser zu Falle kommen? Bereitet euch auf das Zugedachte vor und macht euch wert des Lohnes, der für euch hinterlegt ist worden!« (52,6f vgl. auch 48,49f).[29]

IV. DREI VERSCHIEDENE ENTWICKLUNGS-LINIEN DES MOTIVS VOM LEIDENDEN GERECHTEN

Die mehr querschnittartige Betrachtung ergab *drei* Entwicklungs-*stufen* des hier anstehenden Motivs. Eine mehr längsschnittartige Untersuchung der Motivgeschichte führt auf Grund dieser Ergebnisse zu *drei* verschiedenen Entwicklungs*linien*, die alle mehr oder weniger von der Motivlage in den individuellen Feindpsalmen ausgehen.[30]

1. Die weisheitliche Entwicklungslinie

Eine weisheitliche Entwicklungslinie führt über die gesetztesorientierte Weisheit (vgl. Ps 34; 37; bes. 119) zur Armentheologie der

---

[28] Vgl. ebd., Kap. 3, § 3, C.
[29] Übersetzung nach *P. Rießler,* Altjüdisches Schrifttum außerhalb der Bibel, Darmstadt (2. Aufl.) 1966, z. St.
[30] Vgl.: *Ruppert,* Der leidende Gerechte Kap. 4.

Septuaginta, um in der Erziehungs-, Erprobungs- und Führungstheologie des hellenistischen Weisheitsbuches zur vollsten Entfaltung
zu kommen.

2. Die eschatologische Entwicklungslinie

Eine eschatologische Entwicklungslinie geht zum qumraneigenen
Schrifttum. Das Motiv vom leidenden Gerechten wird in den wahrscheinlich auf den »Lehrer der Gerechtigkeit« zurückgehenden Lobliedern (im wesentlichen 1QH 2-8) aus den individuellen Feindpsalmen bewußt aufgegriffen, nach dem prophetisch bedingten Leiden
des Jeremia (vgl. Jeremias Konfessionen) umakzentuiert, (nah-)
eschatologisch interpretiert, um so das besondere Selbstverständnis
des »Lehrers« zu artikulieren, der allerdings tatsächlich gewisse Bedrängnisse erfahren haben wird. — In den »Gemeinde«-Hodajot
von Qumran und im Kommentar zu Psalm 37 wurde das Motiv
dagegen vom Selbstverständnis der Sekte als »Gemeinde der Armen« her zu einem Darstellungselement der als eschatologisch emp-
fundenen Bedrängnis der Gemeinde.

3. Die zur Apokalyptik führende Entwicklungslinie

Die dritte Entwicklungslinie, in der sich — wie bemerkt — das Motiv
in seiner Endstufe darstellt, kann man in ihren Anfängen *apoka-
lyptisierend*, in ihrem Endstadium rein *apokalyptisch* nennen. In-
spiriert von dem als Martyrium beziehungsweise *passio iusti* (Leiden des Gerechten) interpretierten Todesleiden des deuterojesajanischen Gottesknechtes (Jes 52,13-53,12) führt diese Linie zunächst als
Reflexion der Chasidimverfolgung in den syrischen Religionskämp-
fen (Dan 11,33-35; 12,1-3) zu den Texten, die wohl die Pharisäerverfolgung unter Alexander Jannaios reflektieren, das heißt zu einer apokalyptisierenden Quelle des hellenistischen Weisheitsbuches
(Weish 2,12*-20; 5,1-7), den Bilderreden und besonders den Mahn-
reden des äthiopischen Henochbuches (5 Wehe-Rufe; erhörte Klage
der Gerechten), sodann über den Anhang des 4. Makkabäerbuches
(18,6b-19), in dem auf dem Hintergrund der zweiten Zerstörung
Jerusalems die *passio iustorum* (das Leiden der Gerechten) als schrift-

gemäß erscheint, zu den beiden großen Apokalypsen des Esra und Baruch, die — in kollektiver Deutung — das im Verlauf des unglücklichen Aufstandes von 66-73 n. Chr. über das jüdische Volk hereingebrochene Leiden als *passio iustorum* interpretieren und so verständlich machen.

V. VOM SKANDALON ZUM »DOGMA« DER »PASSIO IUSTI«

Der Gang durch die Geschichte des hier anstehenden Motivs hat zu einem erstaunlichen Ergebnis geführt. Im Laufe etwa eines Jahrtausends israelitisch-jüdischer Religionsgeschichte ist aus dem von Israels Frommen in notvoller Situation immer wieder erfahrenen Skandalon der *passio iusti* (vgl. die Gebete der Angeklagten) über »Gesetzes«-Frömmigkeit (Ps 119; späte Weisheit) und die Armentheologie der Septuaginta schließlich in der späten Apokalyptik ein »Dogma« vom Leiden des Gerechten *(passio iusti)* beziehungsweise vom Leiden der Gerechten *(passio iustorum)* geworden. Führte das Leiden des Gerechten zuerst zu Anfechtung und eigener Infragestellung des Heils, so zuletzt (vgl. Bar [syr] 52,6f) zu froher Heilsgewißheit.

Drittes Kapitel
Das Motiv vom »leidenden Gerechten« und seine Bedeutung für die alttestamentliche Anthropologie

Bevor wir die Bedeutung des alttestamentlich-spätjüdischen Motivs für die neutestamentliche Christologie untersuchen, ist sinnvollerweise über seine Bedeutsamkeit für die alttestamentliche Anthropologie zu handeln. Wie der im vorausgehenden Kapitel zusammengefaßte erste Teil der Habilitationsschrift ergab, spannt sich ein weiter Bogen etwa von den ganz *entgegen* ihrem *Selbstverständnis* als *Gerechte* bedrängten Betern der ältesten Klagelieder des Psalters (vgl. Ps 13) bis zu dem *wegen* seines nach außen dokumentierten *Selbstverständnisses* zu Tode gebrachten geheimnisvollen »*Gerechten*« des »Diptychons« in der Sapientia Salomonis. Erst von letzterem Text an kann man von *passio iusti* (Leiden des Gerechten) im Vollsinn des Wortes sprechen, auch wenn das Schlüsselwort πάσχειν (leiden; »pati«, »passio«) im Unterschied zum Neuen Testament noch nicht fällt.

Während sich die *Terminologie* des (werdenden) Motivs teilweise bis in die späte Apokalyptik (4Esd; Bar [syr]) durchhalten konnte,[1] unterlag seine *Thematik* beachtlichen Veränderungen; das heißt, wohl blieb die *Form* durch die Jahrhunderte im wesentlichen bewahrt (ja man griff in späterer Zeit sogar bewußt auf sie zurück, vgl. 1QH 2-8!), ihr *Inhalt* aber mußte sich entsprechend dem sich wandelnden Selbstverständnis der Frommen notwendig verändern. Überspitzt gesagt: die »*passio*« an sich blieb formal im großen und ganzen die gleiche (das heißt: bis zur Todesgefahr, ja zum Tode gehende Feindbedrängnis), ihre Wertung jedoch durch den beziehungsweise die »leidenden Gerechten« selbst wie durch seine beziehungsweise ihre Gesinnungsfreunde erfuhr in der alttestamentlichen Religionsgeschichte eine beachtliche Wandlung. Dieser durch die ganze alttestamentliche Periode anhaltende Werdeprozeß des Motivs erschwert es natürlich, dessen Bedeutung für die alttestamentliche Anthropologie zu erfassen. Da die späten Texte — mögen sie sich

---

[1] Vgl. hierzu den zweiten Teilband meiner Habilitationsschrift: Der leidende Gerechte und seine Feinde.

wie das »Diptychon« der Sapientia Salomonis noch im alttestamentlichen Septuaginta-Kanon befinden, oder wie die Hodajot von Qumran schon außerhalb des Alten Testamentes stehen — auf die alttestamentliche Anthropologie keinen Einfluß mehr ausüben konnten, beschränken wir uns im folgenden zunächst auf die einschlägigen Texte des jüdischen Kanons, also auf die protokanonischen Bücher des Alten Testaments. Um so mehr werden die übergangenen vorchristlichen Zeugnisse für die neutestamentliche Fragestellung zu beachten sein.

I. DIE URBILDLICHE GESTALT DES LEIDENDEN IN ISRAEL

1. DIE ANTHROPOLOGIE DER KLAGE- (UND DANK-)LIEDER IN SPANNUNG ZU DERJENIGEN DER ÄLTEREN CHOKMA

Beim Lesen der älteren israelitischen Weisheitsschriften, das heißt der vorexilischen Spruchsammlungen der Proverbien (vor allem Spr 10-29) gewinnt man den Eindruck, Israel habe sich den exemplarischen Gerechten als von innen und außen unangefochten, das heißt als erfolgreich und glücklich vorgestellt. Hierzu steht das Bild, das die individuellen Klagelieder vom Frommen, das heißt vom Gerechten, zeichnen, in einem scharfen Kontrast. Die erfahrene Wirklichkeit entsprach offensichtlich nicht der idealen Norm, letztere blieb indes für den Beter Gegenstand seiner Hoffnung. Geht es den Betern der älteren Psalmen (zum Beispiel Ps 13) deswegen darum, Jahwe, in teilweise recht vorwurfsvollem und ungeduldigem Ton, um die Beseitigung des anormalen Zustandes der Bedrängnis eines Frommen beziehungsweise Gerechten zu bitten (wie lange?: Ps 13,2f), so kann sich der Leidende und Bedrängte der späteren Zeit nicht genug tun, sein Leid in Farben zu malen, die alles Vorstellbare übersteigen (vgl. Ps 22,7-22). »Der 22. Psalm klagt über Krankheit, über Feinde, über falsche Anklage und Verhöhnung; es sind also fast alle erdenklichen Leiden auf den Beter kulminiert.«[2]

---

[2] *Rad*, Theologie 412.

G. v. Rad[3] weist in diesem Zusammenhang den bekannten Hinweis auf die orientalische Eigenart, in der Erregung schnell zu überschwenglichen Bildern zu greifen, mit Recht als nicht verfangend zurück, »weil diese Psalmen in ihrer Diktion ja gar nicht als solche persönlichen Ergüsse, sondern als kultisch-agendarisch gebundene Rede zu verstehen sind«. Die offensichtliche »Differenz zwischen dem wirklich Erlittenen und der extremen Form, in der sich der Beter vor Gott darstellt«[4], erklärt von Rad[5] damit, daß die Beter in ihren Klagen als »die paradigmatisch Leidenden« erscheinen, »über die nicht irgend ein Leiden, sondern das Urleiden der Gottverlassenheit gekommen ist«. Kraus stimmt dieser Deutung des 22. Psalms zu und betont, daß der »Leidende« wie der »Arme« in Israel zu einer »urbildlichen Gestalt« geworden ist.[6] Unter den älteren individuellen Feindpsalmen finden sich alle innerweltliche Situationen transzendierenden Leidens- und Bedrängnisaussagen bezeichnenderweise in dem Königsdanklied Ps 18 (= 2 Sam 22), dessen Terminologie, wie wir sahen, wahrscheinlich die individuellen Klagelieder bedrängter Privatleute weitgehend beeinflußt hat. Nach Kraus[7] ist der königliche Beter dieses Psalms in »ein urbildliches Leiden« eingetreten.

2. HERKUNFT UND ENTWICKLUNG DES »URBILDLICHEN LEIDENS«

Es erhebt sich nun die Frage, worauf die Vorstellung vom urbildlichen Leiden zurückgeht und wie es kommt, daß zunächst der König und später der Prophet, so Jeremia in seinen Konfessionen,[8] wie auch der Privatmann (zum Beispiel der Beter von Ps 22) in dieses Urbild des Leidenden eintreten.[9]

---

[3] Ebd.

[4] Ebd.

[5] AaO. 413.

[6] *Kraus,* Psalmen 177.

[7] Psalmen 150.

[8] Jer 11,18 - 12,6; 15,10f.15-21; 17,14-18; 18,18-23; 20,7-18.

[9] Vgl. *H.-J. Kraus,* Klagelieder (BK XX) Neukirchen Kreis Moers 1960, 57: »Er tritt ein in das Urbild des Leidenden und Verfolgten, das schon vor ihm bestand.«

a) Der Lösungsversuch der Kultgeschichtlichen Schule

Die sogenannte Kultgeschichtliche Schule, vor allem der Uppsala-Zweig, will das Problem mit Hilfe eines verbreiteten altorientalischen Kultschemas lösen, in dessen Mittelpunkt der König als Verkörperung der sterbenden und wieder auferstehenden (Vegetations-) Gottheit gestanden habe: im Kultdrama hätte er, von den Chaosmächten besiegt, zur Unterwelt hinabfahren müssen, um nach kurzem Aufenthalt ebendort wieder zurückzukehren und die Chaosmächte zu überwinden;[10] auf dem Wege der Demokratisierung seien diese Lieder später auch dem Gebrauch des einzelnen zugänglich geworden.[11]

So sehr diese Theorie auch der in unserer Untersuchung festgestellten »Demokratisierung« spezifisch königlicher Elemente unseres Motivs gerecht zu werden scheint, so fragwürdig ist sie doch wieder; »denn in den meisten dieser Psalmen läßt sich oft auch nicht eine Spur des unterstellten ursprünglichen königlichen Kultdramas erkennen«[12]. Es muß somit nach einer anderen Herkunft und nach einem anderen Weg der »Demokratisierung« dieser zunächst im Königsdanklied belegten Vorstellung vom »urbildlichen Leiden« gesucht werden.

b) Die von der Ziontradition bestimmte Jerusalemische Königsideologie und ihre »Demokratisierung«

Das fragliche Königsdanklied (Ps 18 = 2 Sam 22) selbst scheint die Herkunft besagter Vorstellung anzudeuten. Nicht weniger als drei-

---

[10] Zur Charakterisierung und Beurteilung dieser Schule vgl. *Keel*, Feinde 31-33. — So betrachtet etwa *I. Engnell* (Studies in Divine Kingship in the Ancient Near East, Oxford ²1967, 176 Anm. 4) die Gebete Jes 38,9-20; Ps 18; 22; 49 und 116 als Psalmen des sterbenden und auferstehenden Königs. Zu Ps 89 vgl. besonders *G. W. Ahlström*, Psalm 89. Eine Liturgie aus dem Ritual des leidenden Königs, Lund 1959.

[11] *Kraus*, Psalmen 41.

[12] Ebd. — Vgl. auch *Keel*, aaO. 33. — Die schwerwiegendsten kritischen Bedenken gegen die königsideologische Methode finden sich zusammengefaßt bei: *K.-H. Bernhardt*, Das Problem der altorientalischen Königsideologie im Alten Testament (VTS 8) Leiden 1961, 303-305.

beziehungsweise viermal bezeichnet der gerettete König Jahwe als seinen »Fels« oder einfach als »Fels« *(ṣuri, ṣur)*,[13] womit er höchstwahrscheinlich auf den *heiligen Fels* des Jerusalemer Tempelplatzes anspielt.[14] Der aus Feindesnot gerettete König dürfte somit ein *Davidide*, wenn nicht gar David selbst sein.[15] Was aber noch bedeutsamer ist: der Retter ist *Jahwe* mit dem Beinamen »der Fels« (vgl. Ps 18,2.32.47) *als der Gott des Zion.*

Die Vorstellung vom urbildlichen Leiden begegnet somit im Alten Testament zuerst als Feindbedrängnis des *davidischen* Königs, und zwar im Zusammenhang mit dessen Errettung und Erhöhung durch *Jahwe,* den Gott des Zion mit dem charakteristischen Beinamen »der Fels«. Zentral sind vor allem folgende, urtümliche Aussagen:

> »Du rettetest mich aus zahllosem (Kriegs-)Volk,
> setztest mich ein zum Haupt der Nationen . . .
> *Jahwe* lebt! Und gepriesen ist *mein Fels!*
> Und erhaben der Gott meines Heiles! . . .
> Mein Erretter vor meinen zornigen Feinden,
> *du erhöhtest* mich über meine Gegner.«
> (Ps 18,44a.47.49a)

Nun könnte man einwenden, daß nicht nur der auf dem Zion residierende König seinem Gott (Jahwe) Errettung aus Feindbedrängnis zugeschrieben haben dürfte, die Vorstellung des Urleidens in tödlicher Feindbedrängnis vielmehr eine Grunderfahrung der mit Kriegsgefahr vertrauten orientalischen Könige gewesen sei, womit sich ein Suchen nach tieferen Ursachen jener Vorstellung erübrige. Daran ist natürlich manches richtig, und doch wird man die erwähnten wiederholten Anspielungen auf den Zion (vgl. außer »Fels« noch Ps 18,7: »aus seinem Heiligtum«) nicht geringschätzen dürfen, nicht zuletzt, weil die Feindbedrängnis des davidischen Königs an das mit dem Zion, der Gottesstadt, verbundene *Völkersturmmotiv*

---

[13] Ps 18,3.32.47 bzw. 2 Sam 22,3.32.47².

[14] Vgl. *Kraus*, Psalmen 142.

[15] »A tenth century date for the poem is not all improbable« *(F. M. Cross - D. N. Freedman,* A Royal Song of Thanksgiving: The Journal of Biblical Literature 72 [1953] 15-34, 20).

erinnert, wie es etwa die Zionslieder (Ps 46; 48; 76) bezeugen.[16] Wie die Gottesstadt wegen Jahwes Gegenwart vom Völkersturm nicht überrannt werden kann und der Angriff abgeschlagen wird (vgl. Ps 46,6-8; 48,4-9; 76,4-7), so kann auch der in eben dieser Gottesstadt residierende davidische König einer Unzahl anstürmender Feinde nicht erliegen, sondern schließlich über sie triumphieren. Wenn man diese offenkundige Parallelität (Errettung der Gottesstadt und ihres Königs aus überdimensionaler Feindbedrängnis) nicht als bloßen Zufall abtun will, dann muß man annehmen, daß das sich in Feindbedrängnis zeigende urbildliche Leiden des davidischen Königs auf dem Zion wie auch seine Umwandlung in Triumph und Erhöhung von der Jerusalemer Ideologie der vom Völkersturm bedrängten, durch Jahwes Anwesenheit aber unüberwindlichen Gottesstadt beeinflußt ist. Somit wird David und seine Dynastie

---

[16] Jüngst hat freilich G. *Wanke* in seiner Monographie »Die Zionstheologie der Korachiten in ihrem traditionsgeschichtlichen Zusammenhang (BZAW 97) Berlin 1966« die These aufgestellt, nicht nur die Korachitenpsalmen, zu denen die Zionslieder bekanntlich gehören, seien nachexilisch, sondern auch die in jenen Liedern enthaltene Zionstheologie (bes. S. 31-39). Das Völkerkampfmotiv, mit dem auch anderwärts (z. B. Jer 1,15 u. ö.) belegten Feind aus dem Norden zusammenhängend, sei, da es in Ugarit fehle, überhaupt nicht mythischen, sondern sagenhaften Ursprungs (Erinnerung an den Sturm der Seevölker um 1200 v. Chr.); zudem werde es erst seit Ezechiel mit Jerusalem verbunden (vgl. aaO. 70-99). Jedenfalls sei es, so wie es die Korachitenpsalmen verwendeten, ein »literarischer Spätling« frühestens aus der exilischen Zeit (ebd. 92). Aber abgesehen davon, daß der geheimnisvolle Feind aus dem Norden schon Jer 1,15 primär gegen Jerusalem heranrückt, ist es schlechterdings *unvorstellbar,* daß ausgerechnet wenige Generationen, nachdem Jerusalem samt dem Zion bei der Eroberung durch Nebukadnezar (587 v. Chr.) in Schutt und Asche gesunken war, der Glaube an die *Uneinnehmbarkeit* der Gottesstadt aufgekommen sein sollte, und dies in Anbetracht des dagegenstehenden Zeugnisses des gleichfalls aus dem Kult erwachsenen Buches der Klagelieder. Eher ist in der jeremianischen Unheilsbotschaft vom Feind aus dem Norden eine polemische Spitze gegen die zur Ideologie gewordene Zionstheologie erkennbar: Gewiß, der Feind aus dem Norden wird kommen (Jer 1,15 u. ö.), aber er wird keineswegs vor Jerusalem vernichtet, sondern die (heilige) Stadt mit dem Tempel zerstören (vgl. Jer 1,15; 7,14; 19,11; 20,5; 26,6.9.11f.15), wie schon vorher Micha (3,12 vgl. Jer 26,18) geweissagt hatte.

in die alte, jebusitische, durch die Überführung der Lade Jahwes (2 Sam 6) immer mehr mit genuin jahwistischen Elementen angereicherten Gottesstadt-Tradition[17] des Zion eingetreten sein; nur, daß es jetzt Jahwe ist, der als »Fels« des Zion seinen erwählten König (vgl. 2 Sam 7) aus Feindbedrängnis errettet und erhöht, wie dies auch im alten Orakel von Ps 89,20-38 ausgesprochen wird (vgl. V. 23-25).

Diese *Errettung* des davidischen Königs wird schon bald als *göttlicher Erweis seiner Gemeinschaftstreue (ṣdḳ)* Jahwe gegenüber verstanden worden sein (Ps 18 [= 2 Sam 22], 25, vgl. V. 21), womit schon die Elemente der »passio iusti« (»Leiden« und »Gerechtigkeit«) vorbereitet sind.

Im Zuge der »Demokratisierung« königlicher Gebetsformeln konnten auch die einzelnen, zunächst wohl die am Zionheiligtum Angeklagten, später die feindbedrängten Jahweverehrer überhaupt in diese königliche Bedrängnis-Errettungstradition des Zion eintreten, so daß die in individuellen Feindpsalmen befremdlichen Aussagen über Jahwes Gericht und Schelte an den *Völkern* (vgl. Ps 7,9; 9,6) und der Umstand, daß die individuellen Klagelieder fast regelmäßig entweder hoffnungsvoll (vgl. Ps 17,15) oder mit einem Lobgelübde (vgl. Ps 7,18; 13,6), einem Dankhymnus (vgl. Ps 69,31-35 [36f]), ja, mit einem umfänglichen individuellen Danklied (vgl. Ps 22,23-32) schließen, nicht mehr verwundern. Es scheint sogar, daß der ergreifendste der individuellen Klagepsalmen, Ps 22,2-22, endgültig erst im Hinblick auf die schon erfolgte, in V. 23-32 gefeierte Errettung formuliert und somit, wie im ersten Band der Habilita-

---

[17] Vgl. zum Ganzen: *H. Schmidt*, Jahwe und die Kulttraditionen von Jerusalem: ZAW 67 (1955) 168-197, und speziell *J. Schreiner*, Sion-Jerusalem, Jahwes Königssitz. Theologie der Heiligen Stadt im Alten Testament (StANT 7) München 1963, 226f, wonach vor allem die Erinnerung an Israels Errettung am Schilfmeer die weitere Ausbildung der vorisraelitischen Zionstradition bestimmt hat. — Daß das Völkersturmmotiv ursprünglich wahrscheinlich »mit den Vorstellungen vom hohen unantastbaren Gottesberg verbunden« war (*Kraus,* Psalmen 344) und wohl erst später auf die Jebusiterstadt Jerusalem übertragen wurde (vgl. Kraus ebd.), tut hier wenig zur Sache, da der uns interessierende Psalm 18 (= 2 Sam 22) offensichtlich schon das Völkersturmmotiv als Bestandteil der Ziontradition voraussetzt.

tionsschrift vorausgesetzt, eigentlich integrierter Bestandteil eines Dankliedes ist. H. Gese[18] ist schon auf der richtigen Spur, wenn er den »eigentlichen Sitz in der Situation der Not« von dem »liturgischen Sitz im Leben« unterscheidet, und letzteren als »die todā« bestimmt, »der darum für die Tradition der Klage besondere Bedeutung zukommt«. Man wird wohl noch einen Schritt weitergehen und sich etwa für den »liturgischen Sitz im Leben« von Ps 22 eine Einleitung in der Art von Ps 41,5 (*'ani 'āmarti*) denken dürfen, was in ähnlicher Weise auch für Ps 31 gilt (vgl. V. 23: *'ani 'āmarti beḥåfzi*).

c) Das Urbild des Leidenden in Korrespondenz mit dem Urbild des Erretteten

In Ps 18 (= 2 Sam 22), dem ältesten Zeugnis, ist das Urbild des Leidenden engstens mit dem Urbild des Erretteten und Erhöhten verbunden: die Aussagen über Not und Bedrängnis (Ps 18,4-7) stehen nicht isoliert, sondern bereiten die Errettungs- und Erhöhungsaussagen (vgl. 18,8-20) vor. So finden sich denn auch später die eindringlichen Schilderungen der Bedrängnis des Frommen als dunkler Kontrast zur folgenden Beschreibung seiner Errettung, das heißt vornehmlich in individuellen *Dank*liedern.[19] Noch das ziemlich späte, von der Weisheit beeinflußte individuelle Danklied Ps 34 ist dieser Tradition verpflichtet, wenn es dort heißt: »Viele sind die Leiden (Nöte) des Gerechten, aber aus ihnen allen rettet ihn Jahwe« (34,20).

Das alte Testament kennt somit ursprünglich kein urbildliches Leiden des Frommen ohne Bezug auf dessen Errettung und Erhöhung. Erst relativ *späte* Psalmen zeichnen das urbildliche Leiden der Gottverlassenheit *ohne Hoffnung* auf Rettung (vgl. Ps 39; 88). Aber selbst

---

[18] Psalm 22 und das Neue Testament 12 Anm. 19. — So lehnt Gese dann auch aaO. 11 Anm. 17 die von C. *Westermann* und G. J. *Botterweck* (und damit auch die zuletzt von R. *Kilian*, Ps 22 und das priesterliche Heilsorakel: BZ NF 12 [1968] 172-185, bes. 176-185) vertretene Deutung der Verse 23-32 als (erweitertes) Lobgelübde mit Recht unter Hinweis auf die Verse 24-27 vorausgesetzte Situation der *todā* und die vollkommen ausgebildeten hymnischen Formen ab.

[19] Vgl. Ps 22; 30; 31; 40,2-12; Jes 38,10-20, Jon 2,3-10; Sir 51,1-12.

die ebenfalls späte, nach dem Schema der individuellen Klagelieder aufgebauten Ijobdichtung[20] zielt auf das von Ijob freilich nicht mehr erbetene, sondern geforderte Eingreifen Gottes (Ijob 38,1-42,6, vgl. 31,35-37), der allerdings Ijobs Unschuld nach dessen wiederholten Beteuerungen nicht mehr zu erklären braucht, sondern ihn in seine Schranken weist.

Das Schema des urbildlich leidenden und urbildlich erretteten Frommen konnte natürlich in der Folgezeit leicht durch Eschatologie und Apokalyptik weitergeführt werden. So will denn auch Gese[21] in Ps 22 »eine bestimmte *apokalyptische Theologie*« erkennen: »Die Not des Beters ist im Klagelied bis zur äußersten Grenze getrieben, bis zum Urleiden gesteigert, und so wird nun auch die Errettung aus dieser Not zur Urheilstat, die den Einbruch der eschatologischen Erlösung markiert«. Nur knüpft diese »apokalyptische« Theologie an sehr viel ältere Vorbilder (vgl. Ps 18 = 2 Sam 22) an.

d) Urbildliches Leiden und über die Tora erfahrene Gottesgemeinschaft

Nach G. von Rad[22] liegt die Besonderheit des 119. Psalms darin, das Urleiden der Gottverlassenheit mit einer paradigmatisch anmutenden Gerechtigkeit des Beters unlöslich ineinander verschränkt zu haben. Man vergleiche etwa die besonders kontrastreichen Aussagen:

> »Not und Drangsal trafen mich,
> (aber) deine Gebote sind meine Lust.« (Ps 119,143)

oder:

> »Es nahen herzu, die mich arglistig verfolgen,
> ferne sind sie deiner Weisung!
> Nahe bist du, Jahwe,
> und alle deine Gebote sind Wahrheit.« (Ps 119,150f)[23]

---

[20] Nach C. *Westermann*, Der Aufbau des Buches Hiob (BHTh 23) Tübingen 1956, handelt es sich bei der Ijobdichtung um eine »Dramatisierung der Klage« (S. 11f), wobei die Gottesrede »an der Stelle der Gottesantwort in den Klagepsalmen« steht (S. 83).

[21] Psalm 22 und das Neue Testament 13.

[22] Theologie 413.

[23] Übersetzung nach *Kraus*, Psalmen, z. St.

Das Verhältnis der »Gemeinschaftstreue« *(ṣdḳ)*, das Jahwe dem König erst durch Rettung im Kampf (vgl. Ps 18,[21].25) und dem (unschuldig) Angeklagten (vgl. Ps 7,9b) durch freisprechendes Heilsorakel bestätigte oder doch wenigstens nach außen dokumentierte, steht für den frommen Beter von Ps 119 nicht nur gegen den Anschein fest (vgl. V. 121), sondern bedarf keiner Bestätigung durch Jahwe mehr. Er ist schon ein »leidender *Gerechter*«, wenn er auch noch nicht *als* Gerechter leidet (vgl. dagegen Weish 2,12*-20; 5,1-7). Wie kommt es aber, daß sich dieser *angefeindete* Fromme seiner Gerechtigkeit so sicher ist, daß er sein *ṣdḳ*-Verhältnis selbst nicht mehr wie die früheren Beter durch falsche Anklage oder Verleumdung oder auf Grund schwerer Krankheit in Frage gestellt sieht? Der Grund liegt im neuen *Verständnis der Feinde:* sie sind nun nicht mehr so sehr dem Frommen Übelwollende als *Empörer gegen Jahwe und sein Gesetz.*[24] Indem der Fromme erkennt, daß seine Feinde letztlich gegen Jahwes Gesetz aufbegehren, weiß er sein *ṣdḳ-Verhältnis* durch diese Feinde nicht mehr in Zweifel gezogen, sondern vielmehr *bestätigt,* weshalb er auch nicht mehr seine Anfeindung in der Art der früheren bedrängten Frommen als eine Art Gottverlassenheit erleidet. G. v. Rads eben angezogene Deutung ist daher nur sehr bedingt zutreffend. Trotz des Bewußtseins oder der Voraussicht, den Feinden physisch preisgegeben zu sein, kann der Fromme sich an der Realität der durch die Tora erfahrbaren, Trost und Freude spendenden Gottesgemeinschaft aufrichten.

e) Die Bedeutung der Leidenstheologie von Ps 119 für die Entwicklung des Motivs vom »leidenden Gerechten«

Nach dem Gesagten stellt *Ps 119* das *Bindeglied* zwischen dem in den älteren individuellen Klage- (und Dank-) Liedern bezeugten *Leiden* der Frommen an der Infragestellung ihrer Gerechtigkeit durch Anfeindung[25] und der in der ausgehenden Apokalyptik (vgl. Bar [syr]52,6) belegten *Freude* der Gerechten wegen der in ihrer Feindbedrängnis offenbar werdenden Auserwählung für den kommenden Äon dar.

---

[24] Vgl. hierzu die Ausführungen in: *Ruppert,* Der leidende Gerechte Kap. 2, § 1, D IV.

[25] Vgl. Ps 13,2f auf dem Hintergrund von Ps 35,19; 38,20 cj.; 69,5.

Somit zieht sich eine durchgängige Entwicklungslinie vom Urleiden des feindbedrängten Königs bis hin zum Verfolgungsleiden der apokalyptisch orientierten Gerechten an der Schwelle beider Testamente (vgl. hierzu noch Mt 5,10-12 par).

II. DIE SAKRALEN INSTITUTIONEN UND IHRE SPIRITUALISIERUNG IM LAUFE DER ENTWICKLUNG DES MOTIVS VOM »LEIDENDEN GERECHTEN«

Erfolgte die Bestätigung der »Gerechtigkeit« des davidischen Königs durch epiphanisches Eingreifen Jahwes in der Art der früheren heiligen Kriege (vgl. Ps 18,8-16), so beim (unschuldig) Angeklagten durch priesterliches Heilsorakel bei der sakralen Rechtsfindung am Heiligtum. Dem Beter des 119. Psalms genügt das Vertrauen auf die bergende, tröstende Kraft der *Weisung* Jahwes: die Tora hat im Zuge der Spiritualisierung die Funktion früherer Sakralinstitutionen (Reminiszenz des Heiligen Krieges, priesterliches Heilsorakel, Asylfunktion des Heiligtums) übernommen. In Qumran wurde dann der Gehorsam gegenüber der *Tora* durch die Zugehörigkeit zu dem vom »Lehrer der Gerechtigkeit« authentisch interepretierten *Bund* spezifiziert. In der Apokalyptik schließlich ist es der kommende, glückliche Äon, dem sich die Gerechten schon jetzt in und wegen der Drangsal zugehörig wissen.

Allen diesen Institutionen beziehungsweise Dogmen, so verschiedenartig sie auch sein mögen, ist gemeinsam, daß sie den auf sie vertrauenden Frommen Zuversicht und Kraft in ihrer Bedrängnis gewähren.[26]

III. DER EINFLUSS DER ARMENTHEOLOGIE AUF DAS MOTIV VOM »LEIDENDEN GERECHTEN«

Wie schon oben[27] betont wurde, ist die Entwicklung des »passio iusti«-Motivs in der *Septuaginta* maßgeblich von deren *Armentheo-*

---

[26] Vgl. Ps 18 (= 2 Sam 22), 7; 7,9; 119,51.69.95.110; 1QH 2,28; 4,39.
[27] Kap. 2, II, 2a.

logie beeinflußt (vgl. Ps 9,29.34; Spr 19,22, jew.: LXX). Aber schon in den späten, weisheitlich orientierten Psalmen wie Ps 9/10 und Ps 37 wird das Leiden des Gerechten *(passio iusti)* mit dem Leiden des Armen *(passio pauperis)* verknüpft, so vor allem in Ps 37, wo die Verfolgung des »Gerechten« und des »Elenden« beziehungsweise »Armen« (*'ani, 'aebjōn*) durch den »Frevler« (*rāšā'*) parallelisiert wird (vgl. Ps 37,12.14). Vorbereitet ist diese Entwicklung ihrerseits durch die Selbstdarstellung des verfolgten Frommen beziehungsweise Gerechten als »Elender und Armer« (*'āni wᵉ'aebjōn*),[28] eine Selbstdarstellung, mit der fast ein Rechtsanspruch auf Hilfe verbunden war.[29]

IV. DER EINFLUSS DER (APOKALYPTISCHEN) MÄRTYRERTHEOLOGIE AUF DAS MOTIV VOM »LEIDENDEN GERECHTEN«

Im Unterschied zur Armentheologie macht sich der Einfluß der Märtyrertheologie auf unser Motiv — von Anklängen, wie dem (hypothetischen) Zeugnis des bedrängten Frommen vor Königen (Ps 119,46) und der Identifizierung der prophetischen Gestalt des leidenden Gottesknechtes mit dem (leidenden) Gerechten (Jes 53,11) einmal abgesehen — erst in der apokalyptisch beeinflußten Spätperiode des Alten Testaments, und jedesmal als Neuinterpretation des vierten Gottesknechtsliedes (Jes 52,13-53,12) in einer Verfolgungszeit bemerkbar (Dan 11,33-35; Weish 2,12*-20). Auf Einwirkung apokalyptischer Märtyrertheologie[30] ist denn auch die Neufassung des mit der »passio iusti« korrespondierenden Motivs der (innerweltlichen) Errettung oder Erhöhung des (leidenden) Gerechten als Auferstehung und Erhöhung des Gerechten (vgl. Dan 12,1-3; Weish 5,1-7) zurückzuführen.

---

[28] Ps 70,6 = 40,18; 86,1; 109,22.

[29] Näheres hierzu in: *Ruppert,* Der leidende Gerechte und seine Feinde Kap. 3, § 2, B II, 1.

[30] Zur überragenden Bedeutung des Martyriums in der apokalyptischen Theologie vgl. *E. Stauffer,* Das theologische Weltbild der Apokalyptik: ZSTh 8 (1930/31) 203-215, bes. 211-213.

V. DAS VERHÄLTNIS DES MOTIVS VOM »LEIDEN DES GERECHTEN« ZUM »URBILDLICHEN LEIDEN DES FROMMEN«

Nach dem bisher Gesagten ist das »passio iusti«-Motiv aus der sehr alten Wurzel des »urbildlichen Leidens des Frommen« mit seinen beiden Komponenten »(Bedrängnis-) Leiden« und »Gerechtigkeit« hervorgegangen (vgl. Ps 18 [= 2 Sam 22], [21].25; 7,9). Aber erst als die alten Vertrauen spendenden und Heil gewährenden Sakralinstitutionen nach dem Exil außer Übung gekommen oder vollends in Vergessenheit geraten waren, konnte die vertrauensvolle Hinwendung des Frommen zu der zwischen Gerechten und Gottlosen scheidenden Tora Jahwes (beziehungsweise in Qumran zum »Bund« Gottes) einerseits und zur Armentheologie und apokalyptisch geprägten Märtyrertheologie andererseits die Wandlung des urbildlichen Leidens (und der urbildlichen Errettung) des Jahwetreuen zur »passio (et glorificatio) iusti« (Leiden [und Verherrlichung] des Gerechten) vollbringen. Mit anderen Worten: die Gesetzes-, Armen- und Märtyrerfrömmigkeit sind, um im Bild zu bleiben, die Pfropfreise, die den alten Stamm des Motivs vom urbildlichen Leiden des Jahwetreuen zur »passio iusti« veredelten. Dieser Veredlungsprozeß ist in der apokalyptischen Periode, etwa zu Beginn des Neuen Testaments, nahezu abgeschlossen; als eine seiner frühesten und doch schon reifsten Früchte ist das »Diptychon« der Sapientia Salomonis (2,12*-20; 5,1-7) anzusehen.

Viertes Kapitel
Das Motiv vom »leidenden Gerechten« und seine
Bedeutung für die neutestamentliche Christologie,
speziell nach den Voraussagen und der Darstellung
des Leidens Jesu

Die Bedeutung, die dem Motiv vom »leidenden Gerechten« für die
alttestamentliche Anthropologie noch obigen Ausführungen offenbar zukommt, läßt, vorausgesetzt daß unser Motiv auch in der
Passionstradition nachweisbar ist, ähnliches auch für die neutestamentliche Christologie erwarten.

I. VORBEREITENDE TERMINOLOGISCHE KLÄRUNG IN AUSEINANDERSETZUNG MIT E. SCHWEIZER

Wie schon im ersten Kapitel ausgeführt wurde, war es nicht zuletzt
die zeitgenössische neutestamentliche Wissenschaft, die vorliegende
Untersuchung anregte; galt es doch zu prüfen, ob die von Neutesta-
mentlern zur Deutung des Weges Jesu durch die Urgemeinde oder
gar durch Jesus selbst vorausgesetzte geprägte Vorstellung vom jetzt
leidenden und hernach erhöhten Gerechten im Alten Testament
oder doch zumindest im Spätjudentum als solche wirklich existiert
hat. Wie sich ergab, ist diese Frage für das Judentum absolut, für
das Alte Testament jedoch nur bedingt mit Ja zu beantworten. Es
sind vor allem *zwei Einschränkungen* zu machen. Zunächst leidet
der fromme Beter der Psalmen zwar *de facto,* aber keinesfalls *de
jure* als »Gerechter«; letzteres ist erst in der späten, von der Chokma beeinflußten Tora-Frömmigkeit der Fall (z. B. Ps 119; vgl. Ps
34). Erst die nicht zuletzt aus der Märtyrerfrömmigkeit hervorge-
gangene apokalyptische Theologie spricht davon, daß der Gerechte
auf Grund seiner Gerechtigkeit (das heißt Auserwählung!) leiden
muß (vgl. 4Esd; Bar[syr], und in etwa das »Diptychon« der Sapientia Salomonis). — Als weitere Einschränkung ist zu beachten:
von der *Erhöhung* des ehemals leidenden Gerechten sprechen die

einschlägigen Psalmen nirgends,[1] wie die Beter verständlicherweise auch nur im übertragenen Sinne von sich behaupten können, von oder aus dem *Tode* errettet worden zu sein.[2] Die von anderen Psalmisten der Spätzeit, die nicht auf Grund eigener Feindbedrängnis, sondern wegen des Wohlergehens der Frevler angefochten sind, für sich erhoffte oder gar erwartete *Entrückung* nach dem Tode (Ps 49,16; 73,24) könnte bestenfalls nach Aufkommen der Apokalyptik mit dem Leiden der Gerechten, das heißt zunächst der Märtyrer-Gerechten, verbunden worden sein, eventuell in Kombination mit der Auferstehungshoffnung (vgl. Dan 11,33-35; 12,1-3; Weish 2, 12*-20; 5,1-7).

Daraus folgt: erst seit der *Apokalyptik* kann man von einer festen Vorstellung vom leidenden und hernach *verherrlichten* Gerechten reden. Die Psalmen kennen nur den (allerdings nicht den Tod) leidenden und hernach *geretteten,* triumphierenden Gerechten.

Wenn E. Schweizer[3] jedoch die (spät-) jüdischen Vorstellungen vom erniedrigten beziehungsweise sich selbst erniedrigenden, sowie von dem für sich und andere im Leiden sühnenden Gerechten in die Vorstellung vom leidenden und erhöhten Gerechten zu intergrieren sucht, dann muß ihm hierin kräftig widersprochen werden. Die Vorstellungen sind nicht nur disparat, sondern sie kommen auch meines Erachtens (außerhalb des Neuen Testaments) nicht verbunden vor; schärfer formuliert: die typisch spätjüdische (Sühne-) Leidenstheologie hat in ihrer rabbinischen Fassung mit dem »Leiden« *(passio),*[4] in ihrer früheren Form (Martyrien des 2. und 4. Makkabäerbuches)

---

[1] Aussagen wie »Du erhöhtest mich über meine Gegner« (Ps 18 [= 2 Sam 22],49) oder verwandte Wendungen weisen nur auf den Triumph des Bedrängten über seine Bedränger (vgl. Ps 3,7; 37,34; 92,11) oder auf seine Errettung aus lebensbedrohender (Feind-)Bedrängnis (vgl. Ps 9,14; 27,5), nicht jedoch auf eine endzeitlich gedachte Erhöhung hin.

[2] Ps 56,14; 116,8, vgl. Ps 30,4; 40,3; 86,13. Näheres in: *Ruppert,* Der leidende Gerechte und seine Feinde Kap. 4, § 4.

[3] Erniedrigung und Erhöhung 21-33.

[4] Die rabbinische Leidenstheologie befaßt sich durchweg mit dem willigen, ja freudigen Ertragen von Beschwerden, vor allem einer Krankheit. Man vergleiche die »Texte zur ›Leidenstheologie‹« bei *Wichmann,* Leidenstheologie 81-97.

mit dem »Leiden des Gerechten« *(passio iusti)*[5] kaum etwas gemeinsam. Auch die Selbsterniedrigung zum Leiden (Phil 2,6-11) und die typisch neutestamentliche sich selbst verleugnende Kreuzesnachfolge (Mk 8,34 par; Mt 10,38 par) wurzeln schwerlich, sicher nicht unmittelbar, in der alttestamentlichen *passio iusti*. Hymnische Aussagen, daß Gott erniedrigt und erhöht,[6] kreisen schließlich so deutlich um die uneingeschränkte Macht Gottes und nicht um die *passio iusti*, daß es fast überflüssig ist, eigens darauf hinzuweisen. Aus alledem folgt: das von Schweizer postulierte spätjüdische Motiv der Erniedrigung und Erhöhung des Gerechten ist *eine unzulässige Kombination allzu verschiedener Motive* und deckt sich keineswegs mit der schon im Alten Testament vorbereiteten spätjüdisch-apokalyptischen Vorstellung von (Todes-) Leiden und endzeitlicher Verherrlichung des Gerechten.

Die Errettung beziehungsweise Verherrlichung des Gerechten ist zwar möglicherweise als Erhöhung (Entrückung?), eher aber als Auferstehung verstanden worden (Weish 5,1 könnte auf jedes von beiden anspielen!); präziser formuliert: Auferstehung wie vielleicht Erhöhung (Entrückung?) sind *Wege* zur Verherrlichung, zum Triumph des Gerechten. Aber von der Erhöhung als *einem* möglichen Weg zur Verherrlichung auf vorherige Erniedrigung zu schließen, wie es Schweizer — wenigstens unbewußt — tut, geht nicht an. Balz hat diese Unstimmigkeit in der Schweizerschen Terminologie schon bemerkt, wenn er unter Hinweis auf die Formulierung Röm 1,3f einwendet, der ursprüngliche Entsprechungsbegriff zu dem Erhöhten sei nicht der Erniedrigte, sondern der Irdische.[7]

II. PASSIO JESU (CHRISTI) = PASSIO IUSTI?

Im folgenden wird sich noch zeigen, ob etwa die soeben beanstandeten terminologischen Unklarheiten den neuartigen und kühnen

---

[5] Die makkabäischen Märtyrer werden nicht als Gerechte, sondern als Gesetzestreue verfolgt und sterben als Zeugen für das mosaische Gesetz; in 2 Makk 6f werden sie noch nicht einmal »Gerechte« genannt.

[6] Vgl. Ps 18 (= 2 Sam 22),28; 75,8; 113,7; 1 Sam 2,7.

[7] *Balz*, Methodische Probleme 44f.

Schweizerschen Entwurf einer urtümlichen neutestamentlichen Christologie selbst in Frage stellen.

Vor allem vier Fragen stehen nun zur Beantwortung an:

Erstens: Ist das Leiden Jesu (Christi), wie es im Urkerygma und vor allem in der Botschaft der Evangelien dargestellt wird, prinzipiell als eine, wenn auch besondere *passio iusti* (Leiden des Gerechten) zu begreifen?

Zweitens: Haben Urgemeinde und (beziehungsweise) die Evangelisten selbst das Leiden Jesu (Christi) als eine oder die *passio iusti* schlechthin verstanden?

Drittens: Hat das Motiv der *passio iusti* etwa die Urgemeinde erst dazu befähigt, oder ihr wenigstens dabei geholfen, mit dem Skandalon eines leidenden und hingerichteten Messias (Christus) fertig zu werden?

Viertens: Hat vielleicht Jesus selbst seinen Weg als *passio iusti* begriffen?

1. Ist das Leiden Jesu (Christi) grundsätzlich als »Leiden des Gerechten« (passio iusti) deutbar?

a) Die Frage nach der Gattung der Passionsgeschichte

Wie allgemein anerkannt, ist die Passionsgeschichte der Evangelien, die schon vor Markus als wohl erster evangelischer Traditionsstoff eine feste Form gefunden hatte,[8] als besondere Einheit zu betrachten, für welche die Formkritik eigentlich keine eingeführte Gattungsbezeichnung zur Hand hat. Zwar trifft der streng formgeschichtlich (nicht volkstümlich) zu verstehende Terminus »Legende«[9] wie auf andere Stücke der Evangelientradition so auch auf die Passionsgeschichte zu.[10] Der Begriff »Legende« ist aber zu allgemein, als daß er dem besonderen Charakter dieser Einheit auch nur annähernd gerecht würde; denn die naheliegende Untergattung »Mar-

---

[8] S. o. Kap. 1, I.

[9] Vgl. *M. Dibelius:* »Mit der Zuteilung zu den Gattungen ›Legende‹, ›Novelle‹ oder ›Anekdote‹ ist nur über den Vortrag des Erzählers, nicht über die Wirklichkeit des Erzählten das Urteil gesprochen« (Aufsätze zur Apostelgeschichte [FRLANT 60] Göttingen [4]1961, 28).

[10] Vgl. *Bultmann,* Geschichte 282-308, bes. 303.

tyrienlegende« oder »Martyrium« versagt hier. Allzu deutlich unterscheidet sich die Passion Jesu etwa von den Martyrien des zweiten (Kap. 6f) und vierten Makkabäerbuches oder dem Martyrium des Stephanus (Apg 7). Die Martyrienlegende stellt das Sterben des Frommen als *Zeugnis* für die wahre Religion dar, sei es nun im Judentum für das mosaische Gesetz[11] sei es im Christentum für Christus[12] oder den Gott der Christen, und wertet das Martyrium selbst als eine heroische Tat des Glaubensgehorsams.[13] Von eben dieser Glorifizierung des Märtyrers[14] ist in der Passion Jesu, wenigstens in ihrer ältesten Gestalt sehr wenig zu spüren.[15] Hierin berührt sich die Passionsgeschichte interessanterweise mit dem »Diptychon« der Sapientia Salomonis über den leidenden und verherrlichten Gerechten, dem klassischen vorchristlichen Text der *passio iusti.* Jesus wie jener geheimnisvolle »Gerechte« sind weniger heroische Akteure als »Objekte« in dem ergreifenden Drama jener Texte. Das »Diptychon« verzichtet sogar (im Gegensatz zu den Martyrien), den gewaltsamen Tod des »Gerechten« selbst zu beschreiben. Dafür zielen »Diptychon« wie Passionsgeschichte auf die nach dem gewaltsamen Tod eintretende Verherrlichung (vgl. Weish 5,1-7 und die Ostergeschichten beziehungsweise das Osterkerygma).

Dieser gemeinsame negative Befund (Ausschluß der Martyrienlegende) und die gemeinsame Doppelstruktur (Leiden und Verherrlichung) reichen aber allein noch nicht aus, die Passions- und Ostergeschichte nach Analogie des angezogenen »Diptychons« der Sapientia Salomonis als *passio et glorificatio (seu exaltatio) iusti* (Leiden und Verherrlichung [oder Erhöhung] des Gerechten) zu begrei-

---

[11] Vgl. 2 Makk 6,27f; 7,2.9.11.23.30.37. Näheres bei *N. Brox,* Zeuge und Märtyrer. Untersuchungen zur frühchristlichen Zeugnis-Terminologie (StANT 5) München 1961, 163-166.

[12] Vgl. Apg 7,52.56.

[13] Vgl. den Heroismus der sieben makkabäischen Brüder und ihrer Mutter (2 Makk 7, vor allem 4M 7,24 - 18,3).

[14] Zur Diskussion über den Märtyrerbegriff, vor allem seine umstrittene Herkunft, vgl. zuletzt das oben in Anm. 11 zitierte Werk von *Brox.*

[15] Symptomatisch hierfür ist der schon Lukas anstößig erschienene Ruf Jesu am Kreuz »Mein Gott, mein Gott, warum hast du mich verlassen?« (Mk 15,34 par; vgl. Lk 23,46).

fen; denn dazu müssen erst die beiden konstituierenden Elemente des Motivs, das heißt »passio« (Leiden) und »iusti« (des Gerechten) für die neutestamentliche Leidensgeschichte beziehungsweise für das neutestamentliche Kerygma von Tod und Verherrlichung Jesu (Christi) erwiesen sein.

b) Jesu Leiden als »passio«

Das Motivelement »passio« ist in der Tat nicht nur wie im »Diptychon« der Sache nach, sondern auch ausdrücklich belegt: nach Mk 8,31 kündigt Jesus sein Leiden mit den Worten an, der Menschensohn müsse »viel leiden« (πολλὰ παθεῖν), und an traditionsgeschichtlich jüngeren Stellen[16] umschreibt πάσχειν schon Jesu ganzes Todesleiden.

c) Jesus als »Gerechter« beziehungsweise als »leidender Gerechter«

Daß Jesus als »Gerechter« gelitten hat, bezeugen nicht nur die relativ späten Stellen Mt 27,19 und Lk 23,47, sondern auch Aussagen wie Apg 3,14; 7,52; 22,14, die zwar die redigierende Hand des Lukas verraten,[17] aber doch ohne entsprechenden Anhalt in der

---

[16] Vgl. Lk 22,15; 24,26.46; Apg 1,3; 3,18; 17,3; Hebr 2,18; 9,26; 13,12; 1 Petr 2,12.23; (3,18); 4,1.

[17] Nach *Wilckens*, Missionsreden 170, freilich wären die beiden Begriffe »der Heilige« und »der Gerechte« in Apg 3,14 von Lukas nicht primär titular, sondern im Sinne eines moralisch-religiösen Werturteils über Jesus verstanden worden, was nicht aus-, sondern einschließe, daß Lukas dieses moralische Werturteil zugleich und wesentlich auch als christologische Aussage meine. Wilckens ist aber entgegenzuhalten, daß (ὁ) δίκαιος (der Gerechte) in Apg 3,14 nicht primär als Gegenbegriff zu ἀνὴρ φονεύς (Mörder) verstanden werden darf, sondern als Parallelbegriff zu ὁ ἅγιος (der Heilige) gewertet werden muß, der für Lukas (man denke nur etwa an Lk 1,35!), auf Jesus angewandt, sicher den Charakter eines messianischen Titels gehabt hat. Freilich nuanciert Lukas diesen von ihm selbst messianisch verstandenen Titel *in Richtung* eines moralischen Werturteils, indem er Jesus als »den Heiligen und Gerechten« in Beziehung zu dem an seiner Statt freigelassenen Mörder setzt (Apg 3,14). Vor allem aber kann Wilckens nicht erklären, weshalb Lukas den Titel »der Gerechte« ausschließlich auf den *leidenden* oder doch verfolgten Jesus anwendet. Apg 22,14 ist hier keine Gegeninstanz, da Jesus als »der Gerechte« (22,14) mit dem soeben von Saulus verfolg-

Tradition schwerlich denkbar sind. Lukas greift hier nämlich — und kaum willkürlich jedesmal im Zusammenhang mit dem Todesleiden Jesu — die alte jüdische Vorstellung vom »Gerechten« auf, die er jedenfalls *titular* als Bezeichnung des *Messias* auf Jesus anwendet,[18] wenn nicht schon die Urgemeinde vor ihm diesen Schritt vollzogen haben sollte; dies wäre im Hinblick auf entsprechende jüdische Tradition (vgl. die messianische Titulatur »der Gerechte« in Hen 38,2; 53,6) immerhin sehr gut denkbar. Infolgedessen ist Jesu Leiden nicht nur grundsätzlich als »Leiden des Gerechten« vorstellbar, sondern seine Deutung in der Urgemeinde als solches zudem wahrscheinlich: was lag dann näher, als Jesu Passion in der Art der vor allem im »Diptychon« der Sapientia bezeugten apokalyptisierenden beziehungsweise apokalyptischen *passio iusti* -Tradition (vgl. auch Mt 5,10-12 par) als *Passio Christi, id est Iusti* zu begreifen?[19]

2. Ist Jesu Leiden von der Urgemeinde beziehungsweise den Evangelisten tatsächlich als »Leiden des Gerechten« (passio iusti) verstanden worden?

Nach der *quaestio iuris* ist nun die *quaestio facti*, die Frage nach der tatsächlichen Deutung des Leidens Jesu durch die Gemeinde zu beantworten.

a) Die Anspielungen auf Leidenspsalmen in der markinischen und synoptischen Leidensgeschichte

Daß die Passionsgeschichte von verwandten Texten des Alten Testaments maßgeblich beeinflußt ist, gilt heute schon als Binsenwahr-

---

ten Jesus (22,8) identisch ist: vor Damaskus mußte Saulus den von ihm *Verfolgten* als den *Gerechten* erfahren.

[18] So zuerst *Dechent* in seinem oben (Kap. 1, Anm. 31) genannten Aufsatz, bes. S. 439f. Vgl. außerdem: *K. H. Schelkle,* Die Passion in der Verkündigung des Neuen Testaments. Ein Beitrag zur Formgeschichte und zur Theologie des Neuen Testaments, Heidelberg 1949, 116f; *Descamps,* Les justes (»Il s'agit bien, dans les Actes, d'une véritable épithète messianique«), sowie die Acta-Kommentare von *Haenchen* und *Stählin* zu den angeführten Stellen.

[19] Nach *Descamps,* aaO. 67, wäre allerdings 1 Petr 3,18 »le seule texte néotestamentaire, où δίκαιος désigne en Jésus un juste souffrant«.

heit der historisch-kritischen Erforschung des Neuen Testaments. Die Tatsache nichteingeführter Zitate aus und bloßer Anspielungen auf Psalmen leidender Gerechter in der Passionsgeschichte ist jedoch allein noch kein Beweis dafür, daß die Evangelisten oder schon die Urgemeinde Jesu Leiden als ein Leiden des Gerechten verstanden haben. Es könnte sich an den fraglichen Stellen ja lediglich um einen (impliziten) *Weissagungsbeweis* handeln, wie denn schon Feigel[20] und noch Formgeschichtler vom Rang eines M. Dibelius[21] und R. Bultmann[22] in der Passionsgeschichte letztlich vor allem diesen Beweis am Werk sahen.[23] Wäre dem aber so, dann hätten die Urgemeinde beziehungsweise Markus und seine Nachfolger jene angezogenen Psalmtexte weniger als Zeugnis vom Leiden des Gerechten denn als Prophezeiung des Leidens Christi im Alten Testament verstanden. Jedoch läßt die auffällige Tatsache, daß der explizite Weissagungsbeweis in Form der Reflexionszitate bei den Synoptikern nicht auf die fraglichen Psalmen, sondern auf andere alttestamentliche Texte[24] Bezug nimmt, daran zweifeln, ob die zahlreichen Anspielungen auf jene Psalmen als (impliziter) Weissagungsbeweis zu werten sind. E. Flesseman-van Leer[25] erachtet es überhaupt als »fragwürdig, ob der Evangelist bei ... vagen Anklängen eine bestimmte Stelle im Sinn gehabt hat; wenn das wirklich der Fall gewesen wäre, so wäre nicht recht einzusehen, weshalb er das nicht auch dem Wortlaut nach deutlicher herausgestellt hätte«. Die eben

---

[20] Der Einfluß des Weissagungsbeweises und anderer Motive auf die Leidensgeschichte, Tübingen 1910, bes. S. 121.

[21] Formgeschichte 184-186.

[22] Geschichte 303-308.

[23] Noch *Linnemann* meint in ihrer schon oben (Kap. 1, Anm. 12) zitierten, sicher verdienstvollen Monographie zur Passionsgeschichte, daß »ein großer Teil« der »isolierten Einzelzüge der Kreuzigungsperikope ... offensichtlich aus der Schrift erschlossen« ist (aaO. 152) und »schriftgelehrte Arbeit im Laufe der Zeit eine Reihe von Einzelmotiven zu Jesu Tod zutage brachte, worauf das Bedürfnis entstand, sie mit dem Kreuzigungs›bericht‹ zusammenzulesen« (ebd. 157). Konnte der Traditionsbildungsprozeß damals — in einem alles andere als tintenklecksenden Zeitalter — nicht viel unkomplizierter, spontaner erfolgt sein?

[24] Mk 14,27 par (Sach 13,7); Mt 27,10 (Sach 11,12f); Lk 22,37 (Jes 53,12).

[25] Interpretation 81.

zitierte Autorin[26] hat auch erwiesen, daß die alttestamentlichen Zitate und deutlichen Anspielungen vor allem auf die Psalmen vom leidenden Gerechten keineswegs rein formalen Charakter haben, lediglich, um die Passion als schriftgemäß zu interpretieren: die *Analogie der Situation* ist stets vollauf *gewahrt*, was man vom Schriftbeweis im Neuen Testament (nicht nur bei Paulus) nur in relativ seltenen Fällen sagen kann. Flesseman-van Leer macht dies an Hand mehrerer in der Passionsgeschichte offensichtlich angezogener alttestamentlicher Stellen vorab aus den Leidenspsalmen deutlich.[27] Die einschlägigen Psalmstellen seien daher hier kurz behandelt.

Bei der Ansage des Verrates spielt ὁ ἐσθίων μετ' ἐμοῦ (der mit mir ißt: Mk 14,18) offensichtlich auf Ps 41,10 (»Auch mein Vertrauter, auf den ich vertraute, der mein Brot aß, hat die Ferse gegen mich erhoben«) an.[28] Flesseman-van Leer möchte nun in der situationsgetreuen Anspielung auf Ps 41 auch den Aspekt des Psalms (eines *Dank*lieds) mit eingebracht sehen, »daß von der Rettung her auf die Not zurückgegriffen wird«; das heißt es werde »stillschweigend ... über die Passion auf die Auferstehung vorgegriffen«.[29] Dies gilt auch, wenn die Psalmstelle nicht nur zur Ausgestaltung der Verratsansage, sondern auch zu ihrer Lokalisierung[30] während eines Mahls geführt haben sollte.

Sattsam bekannt ist, daß die Szenen der Kreuzigung wesentlich nach Ps 22 gestaltet sind[31] und zwei weiteren Psalmen vom leiden-

---

[26] AaO. bes. 82f.84.95.

[27] Von den situationsgerechten, auf Psalmstellen bezogenen Szenen behandelt die Autorin den Verrat des Judas und die Szenen unter dem Kreuz.

[28] In Joh 13,18 erscheint derselbe Psalmvers im gleichen Zusammenhang bezeichnenderweise als Reflexionszitat.

[29] *Flesseman-Leer*, aaO. 84.

[30] Vgl. *E. Lohse*, Die Geschichte des Leidens und Sterbens Jesu Christi, Gütersloh 1964, 46.

[31] Vgl. V. 2 und Mk 15,34; Mt 27,46; V. 8 und Mk 15,29; Mt 27,39; V. 9 und Mt 27,43; V. 19 und Mk 15,24; Mt 27,35; Lk 23,34; Joh 19,24. — Bestechend ist die These von *Gese*, »daß sich der gesamte ursprüngliche Bericht vom Tod Jesu auf ein Zitieren von Ps 22 bezieht« und »hier ... das älteste Verständnis des Golgathageschehens« vorliegt (Psalm 22 und das Neue Testament 17). Ob aber die Naturerscheinungen bei Jesu Tod (Finsternis, Erdbeben) schon in der vormarkinischen Fassung als *Zeichen des Einbruchs* der eschatologischen βασιλεία τοῦ θεοῦ (Herrschaft Got-

den Gerechten, Ps 31 und 69, hierbei Bedeutung zukommt, insofern Lukas in Lk 23,46 das anstößig erscheinende Zitat aus Ps 22 (21),2 durch Ps 35(34),6 ersetzt hat und Mattäus (27,34, vgl. 27,48), vielleicht auch Lukas (23,36), durch ὄξος (»Essig«) von Mk 15,23.36 auf Ps 69(68),21 aufmerksam geworden, die Szene nach eben diesem Psalmvers ausgestaltet oder doch wenigstens (so Lukas) in seinem Sinne verstanden hat. Flesseman-van Leer wird man zustimmen können, wenn sie den Gedanken von Ps 22 (21), »daß Gott den Leidenden in der Tat gerettet und damit vindiziert hat (Ps 22,23ff)«, mithört.[32] Die Psalmen 31 und 69 könnten gleichfalls nicht zuletzt auch wegen der Rückschau auf die schon erfolgte Errettung (Ps 31,20-25) beziehungsweise der hoffnungsvollen Erwartung (Ps 69,31-35) gewählt sein, wenn natürlich auch noch weitere sachliche Bezüge auf Ps 69 in zweiter Linie mit zum Tragen kommen können, wie die zitierte Autorin[33] annimmt.

Wenn nun für entscheidende Szenen der Passion gerade solche Leidenstexte angezogen wurden, die im Rahmen eines Dankliedes stehen (Ps 41) oder denen unmittelbar ein Danklied, Dankgelübde beziehungsweise Dankhymnus folgt (Ps 22; 31; 69), dann kann dies schwerlich mit Zufall und ohne Rücksicht auf die endgültige Errettung und Verherrlichung des leidenden Jesus an Ostern geschehen sein. Mit anderen Worten, schon Markus verstand Jesu Weg als solchen so sehr von demjenigen des leidenden und geretteten Gerech-

---

tes) zu interpretieren sind, ist zumindest fraglich, da gerade diese Zeichen im Psalm nicht belegt sind und sich die wichtige Totenauferstehung (vgl. Ps 22,30 cj.) erst bei Mattäus (27,52f) findet. Der bibelfeste erste Evangelist aber könnte die sich schon mit Jesu Tod abzeichnende Wende sehr leicht in den eschatologischen Farben des 22. Psalms angedeutet haben, da er ja die offensichtlichen Anspielungen der markinischen Fassung auf eben diesen Psalm erkannt hat. Übrigens berichtet Mattäus ja auch im Zusammenhang mit der Auferstehung Jesu von einem gewaltigen Erdbeben (Mt 28,2). Geses These könnte in dieser Form allenfalls für die *mattäische* Interpretation des Todes Jesu aufrechterhalten werden.

[32] *Flesseman-Leer*, aaO. 93.

[33] Vgl. der Leidende als Gottes Knecht (Ps 69,18), seine überindividuelle exemplarische Bedeutung (Ps 69,7), sein Eifer für das Haus Jahwes (Ps 69,10a, zitiert Joh 2,17), sowie Ps 69,5a (vgl. Joh 15,25). — Siehe *Flesseman-Leer*, aaO. 94.

ten der Psalmen her, daß ihm durchaus geläufige Reflexionszitate (vgl. etwa Mk 14,27) hier nicht notwendig erschienen. Erst als diese Sicht der Passion in späterer Zeit durch andere Deutungen teilweise verdeckt worden war, glaubte der die Reflexionszitate überhaupt liebende vierte Evangelist die Zitate durch die Einführungsformel »damit die Schrift erfüllt werde« als solche verdeutlichen zu müssen (vgl. Joh 13,18; 19,24.28.[36]).

b) Das »passio iusti« — Motiv in vormarkinischer Tradition der Leidensgeschichte

aa) Das »passio iusti« – Motiv der Leidenspsalmen

Es ist sehr zu vermuten, daß nicht erst Markus die Ereignisse unter dem Kreuz im Lichte von Ps 22(21) reflektiert hat. Vor allem kann das dieser Reflexion als Anregung dienende Zitat aus Ps 22(21),2 in Mk 15,34 wegen seiner Anstößigkeit (vgl. Lk 23,46) kaum von dem Evangelisten stammen, der den heidnischen Hauptmann kurz nach eben diesem Sterbensruf Jesu erkennen läßt »Dieser Mensch war wahrhaftig Gottes Sohn« (Mk 15,39). Somit dürfte das oben erschlossene Verständnis der Passion im Kern schon für die Urgemeinde vorauszusetzen sein.

Nun erscheint es auf den ersten Blick verwunderlich, daß zwischen dem Verrat des Judas und den Szenen unter dem Kreuz kaum deutliche Anspielungen auf die Psalmen vom leidenden Gerechten zu erkennen sind. Zwar erinnert die Beschreibung der Verspottung Jesu in Mk 14,65 und 15,16-20 entfernt an einschlägige Passagen der Leidenspsalmen,[34] die Anklänge an das dritte Gottesknechtlied (Jes 50,4-9) sind jedoch viel deutlicher (vgl. ἐμπτύειν: anspucken; τὸ πρόσωπον: das Antlitz; ῥαπίσματα: Schläge: Mk 14,65; 15,19 mit Jes 50,6). Das Motivelement »Falschzeugen« (vgl. Ps 27,12) taucht zwar in Mk 14,56f auf, das falsche Zeugnis bleibt indes wegen seiner inneren Unstimmigkeit ohne Wirkung auf den Ausgang des Prozesses beziehungsweise Verhörs: nicht die Worte der falschen Zeugen, sondern Jesu eigene Worte, das heißt seine bejahende Antwort auf die Frage des Hohenpriesters (Mk 14,61f), dienen

---

[34] Vgl. Ps 22,8; 35,16.21; 70,4; 102,9; dgl. Jer 20,7 und vor allem Ijob 30,10.

letzterem als willkommener Grund, Jesus des Todes schuldig zu sprechen.

bb) Das Verhör Jesu vor dem Hohen Rat und Weish 2

α) *Die These Chr. Maurers*

Chr. Maurer[35] hat nun mit Recht auf offenkundige Sinnparallelen zur markinischen Verhörszene (Mk 14,55-65) in Weish 2 aufmerksam gemacht. Dient im letzteren Text abweichend von jüdischen Märtyrerprozessen nicht das Festhalten an einer jüdischen Gesetzesvorschrift, sondern der Anspruch des »Gerechten«, παῖς κυρίου (Knecht des Herrn) zu sein (Weish 2,13, vgl. 2,16), den Feinden als Anstoß, mit einem Todesbeschluß (Weish 2,20), »die Probe auf das Exempel zu machen«, so ist dem Hohen Rat das Bekenntnis Jesu, Gottes Sohn zu sein, verbunden mit der Erwartung, als Menschensohn in Hoheit (vgl. Weish 2,16.20) zu erscheinen (Mk 14,61f), sehr willkommen, um den von vornherein gefaßten Todesbeschluß zu legitimieren. So richtig Maurers Beobachtungen auch sind, so kann man doch seine These, das zweite Kapitel des Weisheitsbuches habe »in entscheidendem Maße auf die Gestaltung der Verhörszene von Mk 14,55ff eingewirkt«[36], in dieser Form nicht übernehmen; denn Maurer[37] muß postulieren, daß »hier in der Sap. Sal. eine Schrift verwendet (wird), die nicht einmal hebräisch existiert, sondern ganz und gar der hellenistisch-alexandrinischen Bibel angehört«. Daß aber dem zweiten Evangelisten um 70 n. Chr., oder gar der ihm überkommenen Passionstradition, mit der Sapientia Salomonis schon eines der jüngsten Bücher des alexandrinischen Kanons, und zwar als Teil der Schrift bekannt gewesen sein soll, ist eine reine Vermutung und zudem kaum wahrscheinlich. Damit ist natürlich auch Maurers Option problematisch, wie in Weish 2,18 der παῖς κυρίου (Knecht des Herrn, vgl. Jes 52,13 LXX) von Weish 2,13 als υἱὸς θεοῦ (Sohn Gottes) interpretiert werde, so sei mit dem »Gottessohn«, das heißt dem »Sohn des Hochgelobten« (ὁ υἱὸς τοῦ εὐλογητοῦ) in Mk 14,61 letztlich der Gottesknecht gemeint, was

---

[35] Knecht Gottes 24f.
[36] *Maurer*, aaO. 26.
[37] Ebd.

durch die auf die Verhörszene folgende, nach Jes 50,4-9 gestaltete Verspottungsszene (Mk 14,65) bewiesen werde.[38]

β) Eine wahrscheinliche Lösung der Aporie Maurers

Schlüssig wird Maurers Argumentation über Weish 2,13-20 erst, wenn man bedenkt, daß schon der vormarkinischen Passionstradition jener von Maurer angezogene Text der Sapientia in der Form des von uns als palästinensisch und semitisch (hebräisch?) erwiesenen »Diptychons« (Weish 2,12*-20; 5,1-7) sehr wohl bekannt gewesen sein kann. Die »überragende Bedeutung« *dieses* Textes darf nicht unterschätzt werden.[39] Wie der Übersetzer des »Diptychons«, das heißt der Autor der Sapientia, die Bezugnahme des Stückes auf Jes 53 erkannt hat (er übersetzt ein vermutliches ʿaebaed jahwaeh in Weish 2,13 analog Jes 52,13 LXX mit παῖς κυρίου: Knecht des Herrn) so wird auch schon der palästinensische Verfasser der vormarkinischen Verhörszene[40] diese Bezugnahme auf den deuterojesajanischen Gottesknecht erkannt haben. Darüber hinaus konnte ihm die Deutung des geheimnisvollen »Knechtes Jahwe« (ʿaebaed jahwaeh beziehungsweise ʿabdā di [jhwh?]) von Weish 2,13 als »Sohn Gottes« *(baen ʾaelohim beziehungsweise bar ʾaelāhāʾ)* zur Erkenntnis führen, daß Jesus mit seinem für jüdische Ohren blasphemisch klingenden (weil christlich interpretierten!) Anspruch, der Sohn des Hochgelobten zu sein (Mk 14,62, vgl. V. 63f), sich als den von Deuterojesaja verheißenen leidenden Gottesknecht bezeugt habe. — Es läßt sich wohl noch über das (christliche) Verständnis Jesu als Sohn Gottes hinaus eine weitere Brücke zum »Diptychon« des Weisheitsbuches erkennen: in der weniger verdächtigen ersten Hälfte des Jesuslogions von Mk 14,62 (*»Ihr werdet* den Menschensohn zur Rechten der Macht sitzen *sehen«:* ὄψεσθε). Im »Diptychon« (Weish 5,2a) heißt es nämlich von der unerwarteten Konfron-

---

[38] *Maurer,* aaO. 24-26.

[39] Siehe auch *Maurer,* aaO. 26.

[40] Nach *Schneider,* Verleugnung 31, »ist keineswegs vorauszusetzen, daß erst Mark(us) die Verhandlungsszene geschaffen habe«; ebenfalls *Gnilka,* Verhandlungen 10 (gegen S. Schulz). Zum Ganzen vgl. *G. Schneider,* Gab es eine vorsynoptische Szene »Jesus vor dem Synedrium«?: NovT 12 (1970) 22-39.

tation der Mörder des Gerechten mit ihrem nun verherrlichten (wohl erhöhten) Opfer: »Bei (seinem) Anblick (ἰδόντες!) werden sie von schrecklicher Furcht verwirrt werden (ταραχθήσονται φόβῳ δεινῷ)«. Hatte nun der vormarkinische Verfasser der Verhörszene das Logion in vereinfachter, das heißt ursprünglicherer Fassung, wie es wohl Lukas (22,69) bietet,[41] vor sich, dann könnte er, beeinflußt von Weish 5,2a (ἰδόντες!) das »neutrale« Prädikat ἔσται (wird sein: Lk !) durch ὄψεσθε (ihr werdet sehen) ersetzt haben, um dem Bekenntnis Jesu damit einen drohenden Unterton zu verleihen beziehungsweise den schon vorhandenen (der »Menschensohn« als Richter, vgl. Ps 109[110],1) zu verstärken. Mit anderen Worten, bei Jesu Wiederkunft wird es seinen »Richtern« respective »Mördern« (vgl. Mk 14,64) ebenso ergehen wie den Mörder-Richtern des geheimnisvollen Gerechten (vgl. Weish 2,20): sie werden bei der Parusie die Verherrlichung, das heißt die Offenbarung ihres Opfers und sein Auftreten als eschatologischer Menschensohn und Richter erleben, so wie die Mörder des »Gerechten« mit eben diesem als ihrem Belastungszeugen im eschatologischen Gericht konfrontiert werden (Weish 5,1f), um sich auf Grund seines stummen Belastungszeugnisses selbst indirekt das Urteil zu sprechen (Weish 5,3-7). Wenn J. Gnilka[42] neuerdings die Erzählung von Jesu Verhör vor dem Synhedrion bei Markus ganz von alttestamentlichen Motiven aus den Psalmen vom leidenden Gerechten durchformt sieht,[43] ist dies insofern gewiß zutreffend, als diese auch sonst in der Leidensgeschichte Jesu greifbare allgemeinere Topik vom leidenden Gerechten natürlicherweise hinzukommt. Das ändert aber nichts daran, daß der klassische Text vom leidenden Gerechten (Weish

---

[41] *Colpe* hält Lk 22,69, weil »die auch sonst . . . sekundär wiederverwendete Wendung aus Da(niel) 7,13 . . . hier noch nicht angefügt« ist, nicht nur für unabhängig von Markus, sondern auch für ein vermutlich echtes Jesuswort (ὁ υἱός 438). Eine von Markus unabhängige Tradition nimmt auch *Schneider* (Verleugnung 120) an.

[42] Verhandlungen 11f.

[43] Zum Schweigen Jesu: Ps 37,14.16; 38,9f; zur Anklage der Feinde: Ps 108,2f, vgl. 36,12; zum Suchen eines Tötungsgrundes: Ps 36,22; 53,5, vgl. 37,13; 62,10; 69,2f; 85,14; 108,16; zum Motiv von den lügnerischen Zeugen: Ps 26,12; 34,11, jeweils LXX-Zählung.

2,12*-20; 5,1-7) die Gestaltung der vormarkinischen Verhörszene maßgeblich beeinflußt haben dürfte.

c) Das »passio iusti« — Motiv in der synoptischen Redaktion der vormarkinischen Tradition der Passionsgeschichte

Es gilt nun noch zu prüfen, ob die urgemeindliche Sicht der Passion Jesu als *passio iusti* in der Redaktion der Passionsgeschichte durch die Synoptiker[44] durchgehalten, weitergeführt oder etwa überdeckt worden ist. Hierbei mögen nur wenige Hinweise genügen.

aa) Die markinische Redaktion

Markus scheint in seiner Passionsgeschichte und der dreifachen Leidensansage (Mk 8,31; 9,31; 10,33f) die urgemeindliche Deutung des Leidens Jesu ohne größere Eingriffe tradiert zu haben. Das Leiden Jesu spielt bei ihm überhaupt eine große Rolle, ja, sein Evangelium gilt mit einem gewissen Recht als Passionsgeschichte mit ausführlicher Einleitung.[45] Die drei mit der Nähe zur Passion immer ausführlicher werdenden Leidensansagen hat Markus bewußt als Gliederungsprinzip des auf das Todespascha zugehenden Weges Jesu in der zweiten Hälfte des Evangeliums verwandt.[46] Jedoch geht es Markus nicht darum, zu zeigen, daß Jesus als »Gerechter«, sondern als »Menschensohn« (vgl. Mk 8,31; 9,31; 10,35) beziehungsweise als »Gottessohn« (vgl. Mk 15,39) leiden mußte (vgl. Mk 8,31). Immerhin war ein Anknüpfungspunkt für diese Entwicklung schon durch die oben dargelegte Abhängigkeit der Verhörszene (Mk 14, 55-64) vom »Diptychon« der Sapientia Salomonis (2,12*-20; 5,1-7) gegeben.

bb) Die mattäische Redaktion

Die Intervention der Frau des Pilatus zugunsten Jesu »Habe nichts zu schaffen mit jenem Gerechten!« (Mt 27,19, vgl. 27,24) könnte

---

[44] Die Passionsgeschichte nach Johannes soll wegen des besonderen Charakters dieses Evangeliums hier unberücksichtigt bleiben.

[45] Vgl. u. a. K. *Kertelge*, Die Epiphanie Jesu im Evangelium (Markus), in *J. Schreiner* (Hrsg.), Gestalt und Anspruch des Neuen Testaments, Würzburg 1969, 153-172, 163.

[46] Vgl. G. *Strecker*, Die Leidens- und Auferstehungsvoraussagen im Markusevangelium: ZThK 64 (1967) 16-39, 31.

daran denken lassen, Mattäus habe sich in seiner Passionsgeschichte vom Motiv der »passio iusti« leiten lassen. Jedoch bestätigt sich dieser erste Eindruck nicht; denn, wenn Mattäus, der bekanntlich großen Wert auf den Weissagungsbeweis legt,[47] in der Darreichung des »mit *Myrrhe* vermischten Weines« (ἐσμυρνισμένος οἶνος) bei Mk 15,23, wohl veranlaßt durch die Darreichung des *Essigs* (ὄξος Mk 15,36), einen Bezug auf Ps 69(68), 22 sieht und dies in Mt 27,34 durch den Ausdruck »mit *Galle* vermischter Wein« (οἶνος μετὰ χολῆς μεμιγμένος) verdeutlicht, dann ist dies nicht ein Beweis dafür, daß er das Leiden Jesu als *passio iusti* wertet, sondern vielmehr einen Zug seines Leidens im Alten Testament *vorausgesagt* sieht.[48] Neben dem Schema »(alttestamentliche) Verheißung — (neutestamentliche) Erfüllung« bestimmen allerdings in zweiter Linie auch schon martyrologische Elemente den mattäischen Passionsbericht. Hier ist etwa der Umstand zu nennen, daß das höchste Gericht selbst die Unschuld des Verurteilten bekennen muß (Mt 27,24f) und der heidnische Hauptmann beim Sterben Jesu vom Schrecken überwältigt wird (Mt 27,54).[49]

cc) Die lukanische Redaktion

Sowenig wie die Intervention der Frau des Pilatus zugunsten »jenes Gerechten« (Mt 27,19) darf der Umstand, daß Lukas den Ausdruck »Gottes Sohn« im Bekenntnis des heidnischen Hauptmanns unter dem Kreuz (Mk 15,39) durch »ein Gerechter« (δίκαιος) ersetzt (Lk 23,47), auf ein Verständnis der Passion Jesu als *passio iusti* schließen lassen. Lukas wird es eben für unwahrscheinlich gehalten haben, daß ausgerechnet ein Heide dieses christliche Bekenntnis aussprechen konnte.[50] Lukas sieht in Jesu Leiden weniger ein Leiden des Gerechten als ein Leiden des Propheten schlechthin (vgl. Lk 11,49-51; 13,33; 24,19), malt es aber noch mehr als schon Mattäus

---

[47] Zur Diskussion um Bedeutung und Herkunft des sog. Reflexionszitats bei Mattäus vgl. *P. Feine - J. Behm - W. G. Kümmel*, Einleitung in das Neue Testament, Heidelberg [13]1964, 63-65.

[48] Ähnlich ist wohl auch die nach Ps 22(21),9 geformte Spottrede in Mt 27,43 zu beurteilen.

[49] Vgl. *H. Frhr. v. Campenhausen*, Die Idee des Martyriums in der alten Kirche, Göttingen 1936, 58 Anm. 6.

[50] Vgl. *Dibelius*, Formgeschichte 195f.

mit martyrologischen Farben aus.[51] So stirbt Jesus nicht mit einem lauten Schrei, sondern mit einem lauten Gebet vollendeter Ergebung in den Willen Gottes (Lk 23,46), und der heidnische Hauptmann ändert nicht nur seine Auffassung über den Gekreuzigten, sondern preist Gott (ἐδόξαζεν: Lk 23,47), und die zu diesem Schauspiel zusammengekommenen Volksmassen schlagen, erschüttert durch die Ereignisse beim Tode Jesu, an ihre Brust, um so den Heimweg anzutreten (Lk 23,48). Wenn Lukas mit dem Hinweis, daß alle Bekannten Jesu von ferne standen (Lk 23,49) auf Stellen der individuellen Klagelieder (Ps 38[37],12; 88[87],9) anspielt, dann tut er es (entgegen der Situation jener Psalmstellen) nicht im negativen, sondern im positiven Sinn: die Treuen sind Jesus von Galiläa her gefolgt, um diese bewegenden Ereignisse (nicht zuletzt auch den positiven Sinneswandel des Volkes) mit anzusehen.

3. Das Motiv der »passio iusti« und die Überwindung des Skandalons eines leidenden und hingerichteten Messias

Wie wir sahen, dominiert das Motiv der *passio iusti* in der älteren Fassung der Leidensgeschichte, während es schon in der markinischen, vor allem aber in der noch jüngeren Bearbeitung durch Matthäus und Lukas in den Hindergrund tritt. Das Motiv verweist uns somit auf die Tradition der *Urgemeinde*.

Wenn die Urgemeinde sich so bald gerade eine Geschichte des Leidens und der Verherrlichung Jesu als des Christus schuf, dann hängt dies wohl zunächst damit zusammen, daß sie recht bald der Ereignisse jener denkwürdigen Tage, des Todesleidens und der Auferstehung Jesu Jahr für Jahr mit einer Begehung gedachte und diese Geschehnisse im Lichte des Alten Testamentes betrachtete.[52] Aber

---

[51] Nach *Dibelius,* aaO. 202, stellt Lukas die Passion direkt als Martyrium dar.

[52] Vgl. hierzu G. *Schille*, Das Leiden des Herrn. Die evangelische Passionstradition und ihr »Sitz im Leben«: ZThK 52 (1955) 161-205, 198: »Für die Passionstradition ist die Zeit (der Begehung) von entscheidender Bedeutung. Das bedeutet für den Karfreitagsbericht, daß er vermutlich

das liturgische Gedächtnis jenes Geschehens konnte sich nur auf die Gestalt der Passionsgeschichte auswirken; das diese Geschichte selbst tragende, ja *bewegende* Motiv liegt vor der kultischen Begehung. Daß die Urgemeinde in ihrer Schrift, dem Alten Testament, gerade im Zusammenhang mit der Leidensgeschichte Jesu so intensiv meditierte, läßt an mehr als bloße Schriftfrömmigkeit denken: nur mittels der Schrift konnte die Urgemeinde die Anstöße überwinden, die sich — nicht zuletzt von der Schrift her (»Verflucht ist, wer am Holze hängt«: Gal 3,13; vgl. Dtn 21,23) — gegen den Glauben an einen gekreuzigten Messias erhoben. Nur die Schrift konnte darüber Auskunft geben, ob Christus dies alles leiden mußte, um so in seine (an Ostern offenbar gewordene) Herrlichkeit einzugehen (vgl. Lk 24,26, dgl. 24,44-46).[53] Natürlich war es wenigstens zunächst keine nach außen gerichtete Apologetik, die der Passionsgeschichte ihren Stempel aufprägte, sonst würden Reflexionszitate und explizite Schriftbeweise in ihrer ältesten Schicht nicht fast völlig fehlen; es war die gläubige Gemeinde selbst, die auf Grund der Schriftmeditation (und wohl auch Rezitation während der erwähnten liturgischen Begehung) des göttlichen Muß hinsichtlich des Leidens Jesu als des Messias inne wurde. Nach den bisherigen Ausführungen dieses Kapitels kann nur die Wertung des Leidens Jesu als in der Schrift grundgelegte *passio iusti* der Schlüssel für eben dieses göttlichen Muß gewesen sein:[54] der an Ostern erfahrenen Verherrlichung *des Gerechten*[55] mußte eben ein schmachvolles Leiden vorausgehen. Der Umstand, daß die Urgemeinde, wie man aus dem fast völligen Fehlen von Anspielungen auf Jesaja 53 im frühen Stadium der Passionsgeschichte[56] schließen kann, erst später nach dem Sinn, das heißt der Heilsbedeutung des Leidens Jesu fragte, bestätigt nur unsere These.

---

dem Versuch entstammt und seine Form verdankt, sich während dreier Gebetsstunden des (jeweils gleichzeitigen) Geschehens zu erinnern«.

[53] Vgl. *Dibelius*, Formgeschichte 184-186.
[54] Vgl. *Schweizer*, Erniedrigung und Erhöhung 50, 56f.
[55] »Der Gerechte« war ja wahrscheinlich nicht erst für Lukas ein messianischer Titel (s. o. unter II, 1c und Anm. 17).
[56] Vgl. *Schweizer*, Erniedrigung und Erhöhung 50, 72f.

4. »PASSIO IUSTI« – SCHON JESU VERSTÄNDNIS SEINES WEGES ?

a) Der historische Jesus und sein Leidensgeschick

Die nun anstehende Frage, ob Jesus selbst schon seinen Weg als
passio iusti verstanden habe, ist unstreitig am schwierigsten zu beantworten. Immerhin hat Jesus, wenigstens von einem bestimmten
Zeitpunkt seines Wirkens an, wahrscheinlich mit seinem gewaltsamen Tod als einem *Prophetenschicksal* gerechnet: »Aber heute noch
und morgen und am folgenden Tag muß ich wandern, denn es geht
nicht an, daß ein *Prophet* außerhalb Jerusalems umkomme« (Lk
13,33).[57] Es ist nun aber die Frage, ob er sein ihm bevorstehendes
Geschick als (Todes-)Leiden und Verherrlichung eines oder gar des
Gerechten betrachtet hat. Hierfür sind vor allem die schon bei Markus stehenden Leidensansagen von großer Bedeutung (Mk 8,31;
9,31; 10,33f);[58] aber gerade sie sind mit der ganzen Menschensohn-
Problematik[59] behaftet.

b) Die Logia vom leidenden Menschensohn

Die Menschensohnlogia überhaupt zerfallen, wie heute allgemein

---

[57] Wenn auch V. 33a erst von Lukas selbst V. 32b nachgebildet sein kann,
so wird man nicht auch schon den Gedanken, daß ein Prophet nicht
außerhalb Jerusalems sterben darf (V. 33b) auf das Konto dieses Evangelisten setzen müssen. *Bornkamm* (Jesus 142) hält gerade Lk 13,33 für
ein echtes Jesuswort und sieht in ihm die Pointe von Lk 13,31-33 (vgl.
dagegen weiter unten). — Zur Todeserwartung Jesu vgl. noch die völlig
unverdächtigen Logia von dem Hinweggenommenwerden des Bräuti-
gams (Mk 2,20) und dem Kelch als Bild des Todesleidens in Mk 10,38f.

[58] Freilich hat *Jeremias* (Neutestamentliche Theologie I 269) mit Recht
moniert, daß die Forschung bisher fast ausschließlich an den drei großen
Leidensweissagungen interessiert war und das übrige, nach Jeremias weit
wichtigere einschlägige Material bei den Synoptikern kaum beachtet hat.
Wenn diese (natürlich nicht alle echten) leidensbezogenen Worte der
von Jeremias ebendort unterschiedenen fünf Gruppen hier im wesentlichen unbeachtet bleiben, dann lediglich deshalb, weil sie zwar die Lei-
denserwartung des historischen Jesus nahelegen, aber schon wegen ihres
mehr indirekten Zeugnisses kaum etwas zur Beantwortung der Frage
beitragen können, ob Jesus seinen Weg als den Weg eines oder des leidenden Gerechten verstanden haben könnte.

[59] Vgl. zu diesem Problem die Überblicke von *Colpe*, ὁ υἱός, und von *Jeremias*, aaO. 245-263.

anerkannt, in drei Gruppen: solche vom kommenden (vgl. Mk 14,62; Lk 12,8), solche vom leidenden und auferstehenden (vgl. Mk 8,31; 9,31; 10,33f), und solche vom gegenwärtig wirkenden Menschensohn (vgl. Mk 2,10.28).[60] Bevor wir die Logia vom leidenden Menschensohn auf unsere Frage hin untersuchen, ist ein kurzes Wort zu dem in den drei Klassen einschlägiger Logia schon angeklungenen Menschensohnproblem überhaupt zu sagen.

aa) Das Menschensohnproblem

Seit R. Bultmann[61] hält wohl die Mehrzahl der kritischen Exegeten nur die oben an erster Stelle erwähnte Klasse der Logia vom *kommenden* Menschensohn für echte Jesusworte, insofern sich Jesus in ihnen nicht mit diesem kommenden Menschensohn identifiziere, sondern von ihm nur als dem eschatolgischen Zeugen spreche, der sich dereinst zu ihm bekennen werde (vgl. vor allem Mk 8,38 par; Lk 12,8f par; 17,23f par). Zuletzt hat vor allem H. E. Tödt[62] diese Position Bultmanns, wenn auch etwas modifiziert, mit Nachdruck vertreten.

Nach der *radikalkritischen* Lösung, wie sie besonders von Ph. Vielhauer[63] verfochten wird, soll dagegen kein einziges Menschensohnlogion auf Jesus selbst zurückgehen, da sich die Vorstellung vom kommenden eschatologischen Menschensohn mit Jesu Verkündigung der βασιλεία τοῦ θεοῦ (Gottesherrschaft) nicht vertrüge: alle Menschensohnlogia seien Gemeindebildungen. Jedoch können die Argumente dieser Theorie keineswegs überzeugen.[64]

---

[60] Vgl. *R. Bultmann*, Theologie des Neuen Testaments, Tübingen ⁵1965, 31, und *H. Conzelmann*, Grundriß der Theologie des Neuen Testaments, München 1968, 152f.

[61] Geschichte 117, 128, 135, 163.

[62] Menschensohn.

[63] Gottesreich und Menschensohn in der Verkündigung Jesu, in: Fschr. *G. Dehn*, Neukirchen Kreis Moers 1957, 51-79 (nachgedruckt, in: *Ph. Vielhauer*, Aufsätze zum Neuen Testament [Theologische Bücherei Neues Testament 31] München 1965, 55-91). Vgl. auch *Vielhauers* Kontroverse mit *Tödt* in: ZThK 60 (1963) 133-177 (nachgedruckt, in: Theologische Bücherei Neues Testament 31, München 1965, 92-140).

[64] Vgl. die gewichtigen Einwände von *G. Haufe*, Das Menschensohn-Problem in der gegenwärtigen wissenschaftlichen Diskussion: EvTh 26 (1966) 130-141, 135f. Vgl. auch *Schnackenburg*, Gottes Herrschaft 144f.

E. Schweizer hingegen sieht vor allem Logia vom (wenn auch mit göttlicher Vollmacht) in Niedrigkeit wandernden[65] und leidenden[66] Menschensohn als echte Jesusworte an, während er aus den eschatologischen Logia nur einige wenige, die ursprünglich vom erhöhten im Gericht als Zeuge auftretenden,[67] aber nicht vom kommenden Menschensohn sprechen sollen, als echt betrachtet.[68] Diese Theorie hängt aber unmittelbar mit der These Schweizers vom erniedrigten und erhöhten Gerechten zusammen, so daß sie vorerst einmal zurückgestellt werden soll.

Soviel soll hier nur gesagt werden: Da der Menschensohn eine eschatologische Gestalt der Apokalyptik (Dan 7,13f; Hen 38-69.70f; 4Esd 13) ist, kommt der Bultmannschen Lösung die größere Wahrscheinlichkeit zu, wenn auch die Frage der Identität Jesu mit dem kommenden Menschensohn für Jesus selbst noch nicht endgültig negativ gelöst sein dürfte.[69]

bb) Die Logia vom leidenden Menschensohn und das Motiv vom »leidenden Gerechten«

Immer wieder wird darauf hingewiesen,[70] daß in der alten Redequelle (Q) keine Logia vom leidenden Menschensohn erhalten sind. Dies wird aber lediglich damit zusammenhängen, daß jene Quelle wahrscheinlich überhaupt keine Leidensgeschichte Jesu enthalten hat.[71] Immerhin findet sich auch in Q das Mt 8,20 und Lk 9,58

---

[65] Mk 2,10(?).28; Mt 8,20; Lk 11,30; 17,22.26; 22,27(?).

[66] Mk 8,31(?); 9,12 (?); 14,21.41(?).

[67] Mk 14,62; Lk 11,30(?); 12,8f(?).

[68] *Schweizer*, Menschensohn 205. Ähnlich hat *D. Morna Hooker* in ihrer Monographie: The Son of Man in Mark. A Study of the background of the term ›Son of Man‹ and its use in St. Mark's Gospel, London 1967, von Dan 7 und dem äthiopischen Henochbuch her den Erweis zu erbringen versucht, daß gerade die Logia vom leidenden Menschensohn echte Jesusworte sind. Zur Problematik dieses Versuchs vgl. *J. Schmid*, in: BZ NF 13 (1969) 300-302.

[69] Nach *Schnackenburg*, Gottes Herrschaft 116, ist die Deutung des Menschensohns im Logion Lk 12,8f (Mk 8,38 par) auf einen von Jesus Verschiedenen nur theoretisch zulässig; »aber es verlöre damit seine Prägnanz und Schlagkraft«. Näheres darüber im nächsten Abschnitt.

[70] Vgl. *Tödt*, Menschensohn 134,250-252.

[71] Vgl. *Tödt*, aaO. 213, 215, 218.

gleichlautend überlieferte Jesuswort vom *heimatlosen* Menschensohn: »Die Füchse haben Höhlen und die Vögel des Himmels Nester, der Menschensohn aber hat nichts, wo er sein Haupt hinlegen kann«. C. Colpe hält das (zuerst von Bultmann[72] Jesus abgesprochene und als Weisheitsspruch gedeutete) Logion für echt, wobei er allerdings hier ὁ υἱὸς τοῦ ἀνθρώπου (der Sohn des Menschen) als bloße Umschreibung für »Mensch« auffaßt:[73] »Jesus ist nicht heimatlos, weil er kein Haus ... gehabt hätte, sondern, weil er — aber nicht als verborgener Menschensohn — seinem Tod in Jerusalem entgegengeht«[74]. Dagegen nimmt Colpe[75] an, daß der Menschensohntitel in die prophetischen (Mk 9,31; 8,31; 10,33; 9,9) wie die situationsgebundenen Leidenslogia (Mk 14,41; 14,21a par; Lk 22,48) erst nachträglich eingefügt worden ist. Der historisch echte Kern der Leidensweissagungen sei teils aus Mk 9,31 (παραδίδοται εἰς χεῖρας ἀνθρώπων: er wird Menschenhänden überliefert) teils aus Mk 8,31 (πολλὰ παθεῖν καὶ ἀποδοκιμασθῆναι: vieles leiden und verworfen werden) zu erschließen.[76] Anders nimmt J. Jeremias[77] einen aus Mk 9,31 rekonstruierten aramäischen *Mašal* als die auf Jesus zurückgehende Urform der drei großen Leidensweissagungen an. Dieser könnte unter Berücksichtigung des Passivum divinum übersetzt werden: »Gott wird (bald) den Menschen (Singular) den Menschen (Plural) ausliefern«. Generisch verstanden kündigte der apokalyptische Rätselspruch die Wirren der eschatologischen Notzeit an, in der der Einzelne der Masse preisgegeben würde; titular verstanden spreche der Satz von der Preisgabe des Menschensohnes.

Es ist nun unwahrscheinlich, daß Jesus (ob als Menschensohn ist eine andere Frage) nur mit seinem gewaltsamen Tod und nicht auch mit

---

[72] Geschichte 27.
[73] *Colpe*, ὁ υἱός 435. — Die Echtheit des Logions hielt auch *Dibelius* (Jesus 82) für möglich, der darin den Gegensatz und zugleich die Verbundenheit zwischen der Verborgenheit des armen Erdendaseins Jesu und der Herrlichkeit des »Menschen« vom Himmel ausgedrückt sah.
[74] Ebd. Anm. 244.
[75] Ebd. 446-449.
[76] Ebd. 447. — Vgl. aber die dagegen erhobenen Einwände bei *Horstmann*, Studien 23f.
[77] Neutestamentliche Theologie I 268.

der Erneuerung seiner Existenz in oder nach dem Tode durch Gott gerechnet hat, gleichviel wie er sich das vorgestellt haben mag. Die nachösterliche Überarbeitung der Leidensansagen (Auferstehung am dritten Tage) hat dies leider verwischt. Vielleicht bringt aber das im Zusammenhang mit dem oben erwähnten Prophetenlogion (Lk 13,33) als Antwort Jesu an die ihn vor Herodes warnenden Pharisäer überlieferte Logion bei Lukas (13,32) die ursprüngliche Erwartung Jesu am besten zum Ausdruck: »Gehet hin und meldet diesem Fuchs (das heißt dem Herodes): Siehe ich treibe Dämonen aus und vollbringe Heilungen heute und morgen, *am dritten Tag* aber werde ich *vollendet*«. Man wird K. Lehmann[78] beipflichten dürfen, der zu diesem Logion, das sehr wahrscheinlich »auf ein Wort Jesu zurückgeht«, bemerkt: »Wenn Jesus seinen Tod geahnt hat (das darf hier vorausgesetzt werden), dann ist eine solche Äußerung in ihrem verborgenen Rätselcharakter durchaus möglich«. Lehmann[79] dürfte nun dieses Jesuslogion wie überhaupt das Bekenntniswort »Auferweckt am dritten Tage« (1 Kor 15,4b) wohl richtig nach einschlägigen Targum- und Midrasch-Stellen auf »das heilgewährende Ereignis ›am dritten Tag‹« deuten. Nicht unbegründet vermutet er einen Zusammenhang des spätjüdischen Theologumenons, daß Gott seine Gerechten beziehungsweise Israel nicht länger als drei Tage in Not läßt, mit dem alttestamentlichen Motiv von der Errettung des Gerechten, »daß die Bedrängnis und der Tod nicht das Endgültige sind ... daß Gott sich in der Tat zu seinem Gerechten *bekennt*«[80]. Ebenda bemerkt Lehmann in der Sapientia Salomonis (irrtümlich: »in den Psalmen Salomons«) mit Recht eine gewisse Verringerung der gegenwärtigen Gefahr, die als vordergründiges Geschehen erscheint; bei Kenntnis des mehr apokalyptischen als weisheitlichen »Diptychons« hätte Lehmann jedoch wohl eine engere Beziehung des Drei-Tage-Motivs vom leidenden und erretteten Gerechten feststellen können. Jesus hat also wahrscheinlich nicht nur mit seinem Todesleiden, sondern auch mit seiner »Vollendung« (Er-

---

[78] Auferweckt 236. Vgl. überhaupt Lehmanns Exkurs zur Exegese von Lk 13,31-33 (aaO. 231-241), wo er die sehr verwickelte Traditions- und Redaktionsgeschichte der Stelle ausführlich behandelt.

[79] Vgl. Auferweckt 181-185 im Zusammenhang mit 262-290.

[80] Ebd. 328, vgl. 327-333.

rettung) am heilsbefrachteten (theologisch, nicht temporal zu verstehenden!) dritten Tag gerechnet.

Das zu vielen Rätseln Anlaß gebende, sehr allgemeine πολλὰ παθεῖν (viel[es] leiden) in der ersten Leidensansage (Mk 8,31) kann hier wohl ein Stück weiterhelfen. Markus hat hier eine *alte* kerygmatische Formel aufgegriffen.[81] Beweis dafür ist zunächst das befremdliche »*nach* drei Tagen«, was der Chronologie der Passionsgeschichte widerspricht; es ist nicht angängig, hier mit E. Haenchen[82] von einer Variierung der alten Formel durch den Evangelisten zu sprechen. Wenn die Formel ältestes Kerygma der Gemeinde beinhaltet, dann kein an der Chronologie der Passion interessiertes Kerygma! Man wird dafür eher an das oben angezogene spätjüdische Theologumenon der Errettung des Gerechten nach höchstens dreitägiger Bedrängnis denken dürfen. In eben diese Richtung weist auch das dunkle »Viel(es) Leiden«. Darin eine Anspielung auf die (etwa in der traditionsgeschichtlich jüngsten Leidensweissagung Mk 10,32 bis 34 aufgezählten) einzelnen Leidensstationen Jesu sehen zu wollen, hieße ja die Traditionsgeschichte direkt auf den Kopf stellen. Das in der markinischen Fassung höchstwahrscheinlich vorliegende Verständnis als *knappstes Summarium* der Passion Jesu ist also sekundär. Daher bleibt nur eine *theologische* Bedeutung des πολλὰ παθεῖν übrig; aber welche?[83] Da πάσχειν (leiden) als Parallelbegriff zu θλίβεσθαι (bedrängt werden) begegnet (vgl. 2 Kor 1,6, ähnlich 2 Thess 1,5f), desgleichen παθήματα (Leiden) als Parallelbegriff zu θλίψεις (Bedrängnisse; vgl. 2 Kor 1,4-8; Kol 1,24; Hebr 10,32f), kann sich πολλὰ παθεῖν sehr gut auf einen Zentralsatz alttestamentlicher *passio iusti* beziehen: »Viele sind die Bedrängnisse der Gerechten, aber aus ihnen allen wird er sie erretten« (πολλαὶ αἱ θλίψεις τῶν δικαίων, καὶ ἐκ πασῶν αὐτῶν ῥύσεται αὐτούς: Ps 33 [34],20: vgl. 4M 18,15). Es ist somit gut möglich, daß Jesus an die

---

[81] *Haenchen*, Weg Jesu 295.
[82] Ebd.
[83] *Horstmann* (Studien 24) möchte unter παθεῖν dagegen die Wehen angedeutet sehen, die das messianische Reich einleiten. Sie bleibt aber die Erklärung dafür schuldig, wie die Wehen der messianischen *Zeit* in Mk 8,31 auf den *Messias* bzw. den *Menschensohn* selbst bezogen werden konnten.

hebräische (aramäische?) Vorlage dieses berühmten Satzes gedacht haben kann: »*Viele* sind die Nöte (Bedrängnisse) des Gerechten, aber aus ihnen allen errettet ihn Jahwe« (Ps 34,20). Wenn der folgende Vers »Er (das heißt Jahwe) behütet alle seine Gebeine, nicht eines von ihnen wird zerbrochen« (Ps 34,21) ursprünglich hinter der von Johannes bewahrten, von ihm aber auf Ex 12,46 gedeuteten Tradition vom Nicht-Zerbrechen der Gebeine Jesu am Kreuz (Joh 19,36) gestanden haben sollte[84] — was gut denkbar ist -, dann wäre dies nur ein weiterer Hinweis auf die Bedeutung von Ps 33(34),20 hinsichtlich des Weges Jesu als des leidenden und errettenden Gerechten schlechthin.

Nach dieser notwendigen Abschweifung ist nun zu prüfen, ob der Menschensohn*titel* in dem historischen Kern der Leidensansagen tatsächlich sekundär ist. Wie schon oben gesagt, ist hier Schweizer[85] anderer Meinung. Seine These ist: »die Vorstellung vom Menschensohn hat Jesus dazu gedient, die Doppelheit seines Wirkens als Irdischer in Niedrigkeit und Leiden, als Erhöhter in Vollmacht und Herrlichkeit zu umschreiben«[86]. Gegen Schweizer spricht aber nun nicht nur die schon erwähnte wichtige Tatsache, daß der Menschensohn eben eine *eschatologische* Gestalt und »der Gedanke einer irdischen Vorstufe des himmlischen endzeitlichen Menschen . . . der gesamten Apokalyptik fremd (ist)«[87]. Wenn Jesus ohne nähere Einführung vom Menschensohn als von etwas Bekanntem spricht, kann er schwerlich einen anderen als die bekannte Erlösergestalt der Apokalyptik gemeint haben. Eine andere Frage ist nun, in welcher Beziehung er sich zu dieser gewußt hat. Sollte der eschatologische Menschensohn nur für ihn zeugen, wie Bultmann vor allem aus Lk 12,8 par geschlossen hat? C. Colpe[88] geht jedenfalls schon einen Schritt weiter, wenn er den apokalyptischen Menschensohn als »ein Symbol für Jesu Vollendungsgewißheit« wertet; ja, das Symbol, von dieser Gewißheit auf ihren Träger bezogen, könne man »auch als dynamische, in seiner künftigen Vorstellung inten-

---

[84] Schon *Dechent* hatte diese Vermutung geäußert (Der »Gerechte« 442).
[85] Menschensohn, bes. 205f; sowie: Erniedrigung und Erhöhung 33-52.
[86] Erniedrigung und Erhöhung 46.
[87] *Balz*, Methodische Probleme 123 Anm. 2 (gegen *Sjöberg*).
[88] ὁ υἱός 443.

dierte und funktionale Gleichstellung Jesu mit dem kommenden Menschensohn interpretieren«, woraus die Urgemeinde dann »eine statische, schon in Jesu Gegenwart realisierte und personale Identifikation« gemacht habe. Auf jeden Fall ist die Schweizersche Koppelung der Erhöhung des leidenden Gerechten mit der Erhöhung des in Niedrigkeit auf Erden wandernden Menschensohns nicht angängig. Auch der Hinweis Schweizers[89] auf Hen 70f hilft hier nicht weiter; denn dort ist keineswegs von der Erhöhung des Henoch *als* Menschensohn die Rede, sondern von der Einsetzung des in den Himmel entrückten (erhöhten) Henoch *zum* Menschensohn, der seinerseits schon *vor* Henoch (freilich idealiter) als verborgener (vgl. Hen 62,7), im Himmel präexistenter Menschensohn gedacht ist (vgl. Hen 70,14, dgl. 46,2-6; 70,1).[90]

Im Unterschied zu Schweizer suchte R. Otto bei seiner Deutung der Menschensohnlogia dem religionsgeschichtlichen Befund von Hen 70f (Entrückung und Einsetzung des Henoch zum eschatologischen Menschensohn) voll gerecht zu werden. So postulierte Otto[91] schon

---

[89] Erniedrigung und Erhöhung 28.

[90] Vgl. *Otto*, Reich Gottes 160f, 167-169; ähnlich *Balz*, aaO. 100f. — Wenn *Schweizer* (Erniedrigung und Erhöhung 28 Anm. 124) unter Berufung auf *M. Black*, in: The Journal of theological Studies NS 3 (1952) 4, zu seinen Gunsten anführt, in den ältesten Handschriften sei Henoch schon in Hen 70,1 der Menschensohn, dann stimmt dies nur teilweise; es handelt sich neben zwei recht späten und schlechten Handschriften nur um *eine* alte und zuverlässige, Codex u (die älteste Handschrift). Aber angesichts der durchweg nicht über das 15. Jahrhundert (!) hinauf reichenden äthiopischen Handschriften fällt ein nur um wenige Jahrzehnte höheres Alter einer einzigen Handschrift kaum ins Gewicht. — Die johanneischen Logia vom *erhöhten* Menschensohn lassen sich wohl doch nicht so leicht aus einer dem vierten Evangelisten schon überkommenen »Menschensohnchristologie« erklären, »in der *die Erhöhung des Irdischen zu Herrlichkeit und Gerichtsvollmacht* eine zentrale Stellung einnahm« (*Schweizer*, Erniedrigung und Erhöhung 48). Schon eher wird man R. *Schnackenburgs* Ansicht beipflichten, Johannes habe, mit der zweiten Gruppe der synoptischen Menschensohn-Logia vertraut, sich vom vierten Gottesknechtslied für seine »›Erhöhungs- und Verherrlichungs‹-Christologie« inspirieren lassen (Der Menschensohn im Johannesevangelium: NTS 11 [1964/65] 123-137, 130).

[91] Reich Gottes 169; ähnlich *R. H. Fuller*, The Mission and Achievement of Jesus, London 1954, 95-108, bes. 107.

für den historischen Jesus das Wissen, »daß er selber als der Menschensohn kommen wird«; und als »der zum Menschensohn *Bestimmte*«, so folgert Otto ebenda aus der religionsgeschichtlichen Parallele, »kann er ›schon‹ als Menschensohn, nämlich auf Grund und in Kraft seiner Bestimmung zum Menschensohn wirken, und besonders auch leiden«. G. Balz[92] hat nun mit Recht dagegen geltend gemacht, daß gerade solches für *Henoch* eben nicht zutrifft, da man dessen Neuwerdung und *Verwandlung* durch die Inthronisation (vgl. Hen 71,11) nicht übersehen darf. Aber vielleicht ist Ottos These, daß Jesus sich als zum postexistentiellen Menschensohn bestimmt glaubte, doch nicht so abwegig. Wenn nämlich, wie etwa Balz[93] annimmt, die Urgemeinde in nachösterlicher Gewißheit der Erhöhung Jesu eben diese Erhöhung als Jesu Einsetzung zu dem von ihm selbst angekündigten Menschensohn verstanden haben sollte, dann ist es wenigstens grundsätzlich auch nicht ausgeschlossen, daß Jesus selbst von irgendeinem Zeitpunkt seiner Wirksamkeit an mit seiner Erhöhung und (eschatologischen) Einsetzung zum Menschensohn (nach dem Modell Henochs) gerechnet haben kann. Es müßte allerdings erst erhärtet werden, daß dieser reinen Denkmöglichkeit auch eine gewisse Wahrscheinlichkeit zukommt. Eine *Brücke* hierzu scheint das wiederholt angezogene »Diptychon« der Sapientia Salomonis (2,12*-20; 5,1-7) zu bilden, unter der wohl wahrscheinlichen Voraussetzung, daß Jesus selbst sich als leidenden (und dereinst vollendeten) Gerechten gewußt hat. Es handelt sich hierbei natürlich um den zweiten Teil (Weish 5,1-7) dieses zentralen Textes der spätjüdischen *passio iusti*-Vorstellung, das heißt um die Aussagen über die als Erhöhung deutbare Verherrlichung des »Gerechten«.

Schweizer selbst hat schon (allerdings recht undifferenziert im Rahmen von Weish 2,10 - 5,16) nicht zuletzt Stellen des »Diptychons« angeführt,[94] um mit den Worten zu schließen: »Der Weg des Gerechten, wie er hier geschildert wird, ist bis in allerlei Einzelheiten hinein der Weg, wie ihn Jesus tatsächlich gegangen ist«[95]. Nun wird

---

[92] Methodische Probleme 101.
[93] Ebd. 123.
[94] Erniedrigung und Erhöhung 32f.
[95] Ebd. 33.

der verherrlichte Zustand und das eschatologische Auftreten des von Gott heimgesuchten getöteten Gerechten (vgl. Weish 2,20), vor allem seine Konfrontation mit den ehemaligen Peinigern in Farben beschrieben, die sehr stark an die Beschreibung des vom Menschensohn durchgeführten Endgerichts in Hen 62f erinnern. Der Gerechte tritt seinen ehemaligen Bedrängern »in großem Freimut« (ἐν παρρησίᾳ πολλῇ) entgegen (Weish 5,1). Ob seines *Anblicks* werden diese *von schrecklicher Furcht verwirrt, geraten außer sich* ... und stöhnen (ἰδόντες ταραχθήσονται φόβῳ δεινῷ καὶ ἐκστήσονται, στενάξονται). Offensichtlich ist an das letzte Gericht gedacht, wenn auch der »Gerechte« nicht als der eschatologische Richter, sondern als der, allerdings stumme, *eschatologische Belastungszeuge* (vgl. Lk 12,8 par) auftritt und durch sein bloßes Erscheinen seine ehemaligen Feinde nicht nur in Schrecken versetzt (Weish 5,1-3), sondern auch zu einem (freilich verspäteten) Eingeständnis ihrer Torheit (Weish 5,4f), ja, zur Selbstanklage (Weish 5,6f) und dadurch indirekt zum Urteilsspruch über sich selbst veranlaßt: sie, die sein Leben für »Wahnsinn« (μανία) gehalten hatten, müssen sich nun selbst als »Toren« (οἱ ἄφρονες) erkennen; sie, die sein Ende für »ehrlos« (ἄτιμος) ansahen, müssen, das darf man folgern, ihr eigenes (eschatologisches!) Ende für ehrlos erachten (Weish 5,4). Man vergleiche hierzu etwa nur folgende Texte[96] aus den henochischen Bilderreden: »Alle Könige, Mächtige, Hohe und die, welche das Festland besitzen, werden sich an jenem Tage erheben, ihn *sehen* und erkennen, wie er auf dem Throne seiner Herrlichkeit sitzt ... Ein Teil von ihnen wird den anderen ansehen; sie werden *erschrecken,* ihren Blick senken, und Schmerz wird die ergreifen, wenn sie jenen ›Mannes‹-Sohn auf dem Throne seiner Herrlichkeit sitzen *sehen* werden ... ihre Angesichter werden vom Scham erfüllt werden ...« (Hen 62,3 .. 5 .. 10). Man vergleiche auch ihr verspätetes Bekenntnis vor Gericht: »Nun haben wir eingesehen, daß wir den Herrn der Könige und Herrscher über alle Könige rühmen und preisen sollen« (Hen 63,4). Auch ihre Klage erinnert an Weish 5,6f: »Jetzt wünschen wir uns ein wenig Ruhe, aber erlangen sie nicht; wir werden

---

[96] Übersetzung nach: *G. Beer,* in: Kautzsch AP II, 271f (eigene Kursivsetzung!).

vertrieben und erreichen sie nicht; das *Licht* ist vor uns verschwunden und Finsternis unsere Wohnstätte immerdar . . . Am Tage unserer Not und Trübsal rettet er uns nicht, und wir finden keinen Aufschub, daß wir unseren Glauben bekennen . . .« (Hen 63,6.8).

Vergleicht man Weish 5,1-7 mit Menschensohn-Logia und anderen Jesusworten des Neuen Testaments, so ergeben sich weiter verblüffende Gemeinsamkeiten. Daß der verherrlichte Gerechte zu den »Söhnen Gottes« (das heißt den Engeln) gerechnet und sein Anteil unter den »Heiligen« ist (Weish 5,5), erinnert an Jesus-Logia, nach denen der Menschensohn umgeben von den (heiligen) Engeln zum Gericht erscheinen wird (vgl. Mk 8,38 par; Lk 12,8; Mt 25,31). Formte man das Eingeständnis der ehemaligen Peiniger zu Worten des verherrlichten »Gerechten« an diese um, dann läge die Parallelität zu der Rede des Menschensohn-Richters[97] an die Bösen im Gleichnis vom Weltgericht bei Mt 25,31-46 auf der Hand: »Ich bin der, den ihr einst zu (einem Gegenstand von) Gelächter und zu einem Spottlied des Hohns hattet, dessen Leben ihr als Torheit und dessen Ende ihr für ehrlos erachtet!« (vgl. Weish 5,4). Der Unterschied ist nur, daß die ehemaligen Peiniger des Gerechten von selbst zu dieser Erkenntnis kommen, während es den Bösen im Gleichnis vom Weltgericht erst gesagt werden muß, daß alles, was sie dem Geringsten der Brüder des eschatologischen Richters nicht getan, auch ihm selbst nicht getan haben.

Aus der Schilderung des verherrlichten (erhöhten?) »Gerechten« in den Farben des zum Endgericht erscheinenden eschatologischen Menschensohns können wir schließen: der Verfasser der »Diptychons« hat die himmlische Existenz und Aufgabe des getöteten Gerechten nach seiner Heimsuchung durch Gott derjenigen des eschatologischen Menschensohnes angenähert. Dies konnte um so eher geschehen, als der Menschensohn beziehungsweise Messias im äthiopischen Henochbuch (38,2; 53,6, vgl. 71,14.16) nicht zuletzt »der Gerechte« tituliert wird (vgl. auch Apg 7,52.56). Wenn dem aber so ist, dann kann

---

[97] Daß die Identifizierung des richtenden Königs mit dem Menschensohn erst auf Mattäus zurückgehen dürfte (vgl. *Colpe*, ὁ υἱός 464), tut hier wenig zur Sache; die vorausgesetzte Situation schien gerade diesen Titel zu fordern.

auch Jesus, der, wie oben wahrscheinlich gemacht, sich als zum Leiden (und zur Vollendung) bestimmten Gerechten gewußt hat, seine Vollendungsexistenz in der Art derjenigen des eschatologischen Menschensohns gesehen haben. Ja, man kann noch einen Schritt weitergehen: von dem Zeitpunkt an, da Jesus um seinen Weg als leidender Gerechter wußte, konnte er sich seine Vollendung als Einsetzung zum eschatologischen Menschensohn (in der Weise des Henoch) gedacht haben. Mit anderen Worten, das Jesus immer deutlicher vor Augen stehende Leidensschicksal konnte so zum Katalysator seines Menschensohn-Bewußtseins werden. So verstanden wäre dann etwa das Logion Mk 9,31 »Der Menschensohn wird in die Hände der Menschen ausgeliefert . . .« Breviloquenz für »Der zum Menschensohn Bestimmte[98] wird in die Hände der Menschen ausgeliefert . . .«. Dem Mißverständnis Ottos, Jesus habe sich schon als »auf Grund und in Kraft seiner Bestimmung zum Menschensohn« auf Erden Wirkenden und Leidenden gewußt (siehe oben), ist dadurch vorgebeugt.

---

[98] Auch nach *Horstmann* (Studien 40) »läßt sich das Logion Lk 12,8f nur so sinnvoll erklären, daß Jesus beim Endgericht als Bürge bzw. Belastungszeuge auftritt, d. h. daß er seine zukünftige Menschensohn-Funktion ankündigt«.

Fünftes Kapitel. Ergebnis

Als ein Ausgangspunkt vorliegender Studie diente nicht zuletzt die These Schweizers[1] von Jesus als dem »leidenden Gerechten, der nach seinem Martyrium zu Gott erhöht, in himmlische Herrlichkeit entrückt wird und einst als Zeuge im letzten Gericht Gottes für die Seinen und gegen seine Verfolger auftritt«. Was ist nun, so fragt sich vielleicht der Leser, das Ergebnis unserer Untersuchung? Ist Schweizer recht zu geben und, wenn nein, warum nicht oder worin nicht? Das Resultat ist ein doppeltes, negativ: eine gründliche Korrektur der These Schweizers, und positiv: eine versuchsweise neue Sicht des Weges Jesu.

I. KORREKTUR DER THESE SCHWEIZERS

Zu Beginn des vierten Kapitels ist schon die weitgehende terminologische Unklarheit Schweizers in der alttestamentlich-jüdischen Grundlegung seiner These kritisiert worden, namentlich die oberflächliche, rein kompilatorische Zusammenstellung anscheinend oder auch nur scheinbar einschlägiger Literatur. Die Argumente sollen hier nicht wiederholt werden. Es sei hier nur betont, daß die im Alten Testament vorbereitete, aber erst in spätalttestamentlicher beziehungsweise zwischentestamentlicher Literatur apokalyptischer oder doch apokalyptisierender Provenienz (vgl. bes. Weish 2,12*-20; 5,1-7) zur vollen Entfaltung gelangte Vorstellung von der (jetzigen) *passio* (Leiden) und der (endzeitlichen) *glorificatio iusti* (Verherrlichung des Gerechten) mit dem Martyrium der spätalttestamentlichen (2 Makk 6f) oder gar rabbinischen Martyrienlegenden so gut wie nichts zu tun hat. Die nicht ausdrücklich als Erhöhung dargestellte Verherrlichung des beziehungsweise der leidenden Gerechten und die Entrückung alttestamentlicher Frommer beziehungsweise Gerechter wie Henoch (Gen 5,21-24; vgl. Weish 4,7-20) und Elija (2 Kön 2,1-13) sind ganz verschiedene Vorstellungen, die man

---

[1] Erniedrigung und Erhöhung 47.

schon deshalb nicht miteinander verbinden darf, weil keiner jener von Gott hinweggenommenen alttestamentlichen Gerechten wie auch keiner der mit ihrer Entrückung rechnenden frommen Beter des Psalters (Ps 49,16; 73,24) als »leidender«, das heißt bedrängter oder gar getöteter Gerechter erscheint. Erst Lukas hat das urchristliche Erhöhungskerygma, das heißt das Kerygma von der Erhöhung des auferweckten Jesus zur Rechten des Vaters mit Hilfe des in der Apokalyptik (vgl. Hen 70,1f; 81,6) zum Tragen gekommenen alttestamentlichen Entrückungsmotivs auf die vor Zeugen geschehene Himmelfahrt Jesu uminterpretiert.[2] Vor allem mißlich aber ist die Unbeweisbarkeit der Arbeitshypothese Schweizers,[3] »die Vorstellung vom Menschensohn« habe »Jesus dazu gedient, die Doppelheit seines Wirkens als Irdischer in Niedrigkeit und Leiden, als Erhöhter in Vollmacht und Herrlichkeit zu umschreiben«. Da die Vorstellung vom leidenden Gerechten im Schweizerschen Verständnis eine den Texten fremde Konstruktion verschiedenartigster Vorstellungen ist, entfällt schon die alttestamentlich-jüdische Voraussetzung für ein solches Selbstverständnis Jesu. Darüber hinaus muß Schweizers Option für die Authentizität hauptsächlich nur der Logia von dem auf Erden in Niedrigkeit wirkenden und leidenden Menschensohn als mißglückt angesehen werden, wie Schweizer denn hierin auch kaum Anhänger gefunden hat.

Trotz dieser zunächst rein negativ erscheinenden Bilanz hat sich Schweizers These aber als ein sehr glücklicher Denkanstoß erwiesen, insofern als sie erst, wenn auch in unabgeklärter Form, auf die spätalttestamentlich-jüdische Vorstellung vom leidenden Gerechten aufmerksam gemacht hat, die es freilich noch aus den Texten zu erweisen galt. Auf diesen ihren bei Schweizer freilich überlagerten Kern zurückgeführt, vermag sie als fruchtbarer Ansatz für ein Neuverständnis des Weges Jesu zu dienen.

---

[2] Vgl. *G. Lohfink,* Die Himmelfahrt Jesu. Untersuchungen zu den Himmelfahrts- und Erhöhungstexten bei Lukas (StANT 26) München 1971, bes. 244.

[3] Erniedrigung und Erhöhung 46.

II. EINE NEUE SICHT DES WEGES JESU

Jesu Denken ist deutlich von den Vorstellungen der Apokalyptik geprägt, wie schon der typische apokalyptische Menschensohnbegriff in seinem Munde beweist, wenn man auch seine Verkündigung wegen ihres eigenen Charakters (vgl. die Botschaft von der mit ihm schon anbrechenden Gottesherrschaft: Mk 1,14f) nicht eigentlich apokalyptisch nennen darf.[4] Das *Motiv* vom *leidenden* und (nach dem Tode) durch Auferstehung beziehungsweise Erhöhung *verherrlichten Gerechten* ist nun sicherlich im Kern *apokalyptischer Herkunft* und lag gerade von daher dem Denken Jesu nahe. — Wenn Jesus sehr wahrscheinlich seinem Leiden Sühnecharakter beigemessen hat (Mk 14,24, vgl. 10,45),[5] dann wird er dies nicht seiner Eigenschaft als leidender *Gerechter*,[6] sondern als leidender *Prophet* (vgl. schon Moses diesbezügliche Bereitschaft Ex 32,31f und das stellvertretende Sühneleiden des Gottesknechtes Jes 53[7]) zugeschrieben haben (vgl. Lk 13,33b).

---

[4] Vgl. hierzu *Schnackenburg*, Gottes Herrschaft, bes. 109.

[5] Wenngleich die Authentizität von Mk 10,45 im Munde Jesu wegen Lk 22,27 fraglich ist, wird man doch in dem »Für Viele« des Kelchwortes (Mk 14,24) schwerlich erst eine Deutung der ältesten Gemeinde sehen dürfen (vgl. *R. Schnackenburg*, in: Mysterium Salutis III/1, 241 Anm. 23).

[6] Die Sühnkraft der Leiden und besonders des Todesleidens des *Gerechten*, auf die *E. Lohse* (Märtyrer und Gottesknecht. Untersuchungen zur urchristlichen Verkündigung vom Sühntod Jesu Christi [FRLANT 64] Göttingen ²1963, 29-32) und *Schweizer* (Erniedrigung und Erhöhung 25f) hinweisen, ist ein besonderes Thema der *rabbinischen* Leidenstheologie (vgl. *Wichmann*, Leidenstheologie, passim) und hat mit dem *apokalyptischen* Theologumenon vom Leiden des bzw. der Gerechten herzlich wenig zu tun. Ein Märtyrer muß nach dieser Theorie nicht unbedingt ein Gerechter im Sinne des Sündenlosen sein (vgl. 2 Makk 7,32); er kann vielmehr durch das Martyrium für eigene Sünden wie auch für die Schuld des Volkes sühnen (vgl. 4M 6,28f; 17,22). Ja, nach den Rabbinen konnte selbst ein Verbrecher durch willige Annahme der Todesstrafe für alle seine Sünden sühnen (vgl. *Lohse*, aaO. 38-46).

[7] Die vor allem von *Jeremias*, παῖς θεοῦ 709-713, *O. Cullmann*, Die Christologie des Neuen Testaments, Tübingen ³1963, 59-68, und *H. W. Wolff*, Jesaja 53 im Urchristentum, Berlin ²1950, 55-71, vertretene Auffassung, Jesus habe sich als den (deuterojesajanischen) Gottesknecht ge-

Die besondere theologische Leistung des historischen Jesus hätte somit darin bestanden, daß er sich als leidenden Gerechten *und* leidenden Propheten begriff, wobei er seine in oder nach dem Tode erwartete *Verherrlichung* als *Erhöhung* und zwar in der Weise der Einsetzung *zum* eschatologischen *Menschensohn* verstanden haben kann. Einer schöpferischen religiösen Persönlichkeit wie Jesus ist eine solche Harmonisierung verschiedener (prophetischer und apokalyptischer) Traditionen durchaus zuzutrauen. Dagegen kann man nicht die *rabbinische* (Sühne-)*Leidenstheologie* und die (nicht *belegbare!*) Vorstellung vom nach seiner verborgenen Erdenwirksamkeit *erhöhten Menschensohn* auf die *(apokalyptische!)* Tradition vom *leidenden und verherrlichten* (»erhöhten«) *Gerechten* zurückführen oder doch hinordnen; und gerade das eben ist die Hauptschwäche der Theorie Schweizers. Immerhin vermag das Ergebnis unserer Untersuchung über das Motiv der »passio iusti« im Alten Testament und zwischentestamentlichen Judentum die These Schweizers auf solideren Boden zu stellen; in der oben angedeuteten Weise modifiziert, kann sie nicht nur die urtümlichste Christologie der Urgemeinde, sondern auch das Selbstverständnis des historischen Jesus in neuem Licht zeigen.

---

wußt, wird heute von der kritischen Forschung (vgl. *Hahn*, Hoheitstitel 64-66; *W. Popkes*, Christus traditus. Eine Untersuchung zum Begriff der Dahingabe im Neuen Testament [AThANT 49] Zürich-Stuttgart 1967, 172f Anm. 465) zunehmend in Frage gestellt. Hier wird die mittlere Lösung *Schweizers* (Erniedrigung und Erhöhung 72) wohl die glücklichste sein, daß Jesus, ohne den Titel Gottesknecht oder eine theologische Sühnetodtheorie auf sich anzuwenden beziehungsweise auf eine bestimmte AT-Stelle festgelegt zu sein, sich *in der Sache* doch »als den für die Vielen dienenden und leidenden Gottesknecht gewußt« hat. Nur hat Jesus (gegen Schweizer) den Gedanken der stellvertretenden Sühne eben nicht aus der Tradition vom leidenden Gerechten (siehe die vorausgehende Anmerkung!), sondern vom *leidenden Propheten,* die man scharf von der ersteren trennen muß. So ist im »Diptychon« des Weisheitsbuches (2,12*-20; 5,1-7), obwohl dort »der Gerechte« als παῖς κυρίου (Knecht des Herrn) erscheint (Weish 2,13, vgl. Jes 52,13 LXX), von einem Sühnecharakter seines Leidens in der Weise des deuterojesajanischen Gottesknechtes nichts mehr zu entdecken.

Abkürzungsverzeichnis

AThANT	Abhandlungen zur Theologie des Alten und Neuen Testaments, Basel-Zürich.
BHS	Biblica Hebraica Stuttgartensia, Stuttgart 1968ff.
BHTh	Beiträge zur historischen Theologie, Tübingen.
BK	Biblischer Kommentar. Altes Testament, Neukirchen Kreis Moers.
BWANT	Beiträge zur Wissenschaft vom Alten und Neuen Testament, Stuttgart.
BZ	Biblische Zeitschrift, Paderborn.
BZAW	Beihefte zur Zeitschrift für die alttestamentliche Wissenschaft, Berlin.
BZNW	Beihefte zur Zeitschrift für die neutestamentliche Wissenschaft, Berlin.
dt	deuteronomisch.
dtr	deuteronomistisch.
EvTh	Evangelische Theologie, München.
FRLANT	Forschungen zur Religion und Literatur des Alten und Neuen Testaments, Göttingen.
FzB	Forschung zur Bibel, Würzburg.
HAT	Handbuch zum Alten Testament, Tübingen.
Kautzsch AP	Die Apokryphen und Pseudepigraphen des Alten Testaments. I. II., Darmstadt (2. unveränderter Neudruck) 1962.
LThK²	Lexikon für Theologie und Kirche, 2. Auflage, Freiburg 1957ff.
LXX	Septuaginta.
NF	Neue Folge.
NovT	Novum Testamentum, Leiden.
NS	Nova Series.
NTA	Neutestamentliche Abhandlungen, Münster/Westf.
NTD	Neues Testament deutsch, Göttingen.
NTS	New Testament Studies, Cambridge-Washington.
SBM	Stuttgarter Biblische Monographien, Stuttgart.
StANT	Studien zum Alten und Neuen Testament, München.

ThHK	Theologischer Handkommentar zum Neuen Testament, Leipzig.
ThStK	Theologische Studien und Kritiken, Gotha.
ThW	Theologisches Wörterbuch zum Neuen Testament, Stuttgart.
VT	Vetus Testamentum, Leiden.
VTS	Supplements to Vetus Testamentum, Leiden.
WMANT	Wissenschaftliche Monographien zum Alten und Neuen Testament, Neukirchen-Vluyn.
ZAW	Zeitschrift für die alttestamentliche Wissenschaft, Berlin.
ZNW	Zeitschrift für die neutestamentliche Wissenschaft, Berlin.
ZSTh	Zeitschrift für systematische Theologie, Berlin.
ZThK	Zeitschrift für Theologie und Kirche, Tübingen.

Literaturverzeichnis

Aland K., Synopsis quattuor Evangeliorum, Stuttgart 1964.

Balz H. R., Methodische Probleme der neutestamentlichen Christologie (WMANT 25) Neukirchen-Vluyn 1967.

Barth Ch., Die Errettung vom Tode in den individuellen Klage- und Dankliedern des Alten Testaments, Zollikon 1947.

Die *Bedeutung* des Todes Jesu, in: Exegetische Beiträge (Schriftenreihe des Theologischen Ausschusses der Evangelischen Union, hrsg. v. *F. Viering*) Gütersloh 1967.

Bertram G., Die Leidensgeschichte Jesu und der Christuskult. Eine formgeschichtliche Untersuchung (FRLANT 32) Göttingen 1922.

Beyerlin W., Die Rettung der Bedrängten in den Feindpsalmen der Einzelnen auf institutionelle Zusammenhänge untersucht (FRLANT 99) Göttingen 1970.

Bornkamm G., Jesus von Nazareth (Urban-Bücher 19) Stuttgart [4.5]1960.

Braun H., Jesus. Der Mann aus Nazareth und seine Zeit, Stuttgart 1969.

Bultmann R., Die Geschichte der synoptischen Tradition (FRLANT 29) Göttingen ([1]1921) [6]1964.

Charles R. H., The Apocrypha and Pseudepigrapha of the Old Testament in English, I.II., Oxford 1913.

Colpe C., Art. ὁ υἱὸς τοῦ ἀνθρώπου, in: ThW VIII 1969, 403-481.

Dechent H., Der »Gerechte« — eine Bezeichnung für den Messias: ThStK 100 (1927/28) 439-443.

Delekat L., Asylie und Schutzorakel am Zionheiligtum. Eine Untersuchung zu den privaten Feindpsalmen. Mit zwei Exkursen, Leiden 1967.

Descamps A., Les justes et la justice dans les Evangiles et le Christianisme primitif hormis la doctrine proprement paulinienne, Louvain 1950.

Dibelius M., Die Formgeschichte des Evangeliums, Tübingen ([1]1919) [5]1966.

— Jesus. 4. Aufl. mit einem Nachtrag von *W. G. Kümmel* (Sammlung Göschen 1130) Berlin 1966.

Dupont-Sommer A., Le quatrième livre des Machabées. Introduction, traduction et notes, Paris 1939.

Eißfeldt O., Einleitung in das Alte Testament, unter Einschluß der Apokryphen und Pseudepigraphen sowie der apokryphen- und pseudepigraphenartigen Qumran-Schriften, Tübingen [3]1964.

Fahlgren K. Hj., ṣᵉdāḳā, nahestehende und entgegengesetzte Begriffe im Alten Testament, Uppsala 1932.

Fascher R., Theologische Beobachtungen zu δεῖ, in: Neutestamentliche Studien für R. Bultmann (BZNW 21) Berlin 1954, 228-254.

Fichtner J., Die Stellung der Sapientia Salomonis in der Literatur- und Geistesgeschichte ihrer Zeit: ZNW 36 (1937) 113-132.

— Weisheit Salomos (HAT: Zweite Abt. 6. Bd.) Tübingen 1938.

Finegan J., Die Überlieferung der Leidens- und Auferstehungsgeschichte Jesu (BZNW 15) Gießen 1934.

Flesseman-van Leer E., Die Interpretation der Passionsgeschichte vom Alten Testament aus, in: Die Bedeutung des Todes Jesu, Gütersloh 1967, 79-96.

Focke F., Die Entstehung der Weisheit Salomos. Ein Beitrag zur Geschichte des jüdischen Hellenismus (FRLANT 22) Göttingen 1913.

Freudenthal J., Die Flavius Josephus beigelegte Schrift über die Herrschaft der Vernunft (IV. Makkabäerbuch), eine Predigt aus dem ersten nachchristlichen Jahrhundert, Breslau 1869.

Gese H., Psalm 22 und das Neue Testament. Der älteste Bericht vom Tode Jesu und die Entstehung des Herrrenmahles: ZThK 65 (1968) 1-22.

Gillet L., The Just: The Expository Times 56 (1944/45) 277-279.

Gnilka J., Jesus Christus nach frühen Zeugnissen des Glaubens, München 1970.

— Die Verhandlungen vor dem Synhedrion und vor Pilatus nach Markus 14,53 - 15,5, in: Evangelisch-katholischer Kommentar zum Neuen Testament. Vorarbeiten, Heft 2, Zürich-Neukirchen 1970, 5-21.

Grundmann W., Das Evangelium nach Matthäus (ThHK 1) Berlin 1968.

— Das Evangelium nach Markus (ThHK 2) Berlin ³1965.

— Das Evangelium nach Lukas (ThHK 3) Berlin ⁴1966.

Gunkel H. - Begrich J., Einleitung in die Psalmen. Die Gattungen der religiösen Lyrik Israels (Göttinger Handkommentar zum Alten Testament, Ergänzungsband) Göttingen (¹1933) ²1966.

Haenchen E., Die Apostelgeschichte (Kritisch-exegetischer Kommentar über das Neue Testament 3. Abt.) Göttingen ¹³1961.

— Der Weg Jesu, Berlin ²1968.

Hahn F., Christologische Hoheitstitel. Ihre Geschichte im frühen Christentum (FRLANT 83) Göttingen (¹1963) ³1966.

Horstmann M., Studien zur markinischen Christologie. Mk 8,27 - 9,13 als Zugang zum Christusbild des zweiten Evangeliums (NTA NF 6) Münster 1969.

Jeremias J., Art. παῖς θεοῦ, in: ThW V 1954, 676-713.

— Die älteste Schicht der Menschensohn-Logien: ZNW 58 (1967) 159-172.

— Neutestamentliche Theologie I: Die Verkündigung Jesu, Gütersloh 1971.

Keel O., Feinde und Gottesleugner. Studien zum Image der Widersacher in den Individualpsalmen (SBM 7) Stuttgart 1969.

Kittel R., Biblia Hebraica, Stuttgart ⁸1952 (= ergänzte 3. Aufl. von 1937).

Koch K., ṣdq im Alten Testament. Eine traditionsgeschichtliche Studie, Dissertation Heidelberg 1953.

Köhler L., Theologie des Alten Testaments, Tübingen ⁴1966.

Kraus H.-J., Psalmen (BK XV/1.2) Neukirchen Kreis Moers ²1961.

Kümmel W. G., Die Theologie des Neuen Testaments nach seinen Hauptzeugen (NTD Ergänzungsreihe 3) Göttingen 1969.

Lehmann K., Auferweckt am dritten Tage nach der Schrift. Früheste Christologie, Bekenntnisbildung und Schriftauslegung im Lichte von 1 Kor 15,3-5 (Quaestiones Disputatae 38) Freiburg-Basel-Wien [2]1969.

Léon-Dufour X., Art. Passion (Récits de la), in: Dictionnaire de la Bible. Supplément VI 1960, 1419-1492.

Linnemann E., Studien zur Passionsgeschichte (FRLANT 102) Göttingen 1970.

Lohmeyer E., Das Evangelium des Matthäus. Nachgelassene Ausarbeitungen und Entwürfe zur Übersetzung und Erklärung. Für den Druck erarbeitet und hrsg. v. *W. Schmauch* (Kritisch-exegetischer Kommentar über das Neue Testament. Sonderband) Göttingen [2]1958.

— Das Evangelium des Markus. Nach dem Handexemplar des Verfassers durchgesehene Ausgabe mit Ergänzungsheft (Kritisch-exegetischer Kommentar über das Neue Testament. Erste Abt., 2. Bd.) Göttingen [17]1967.

Lohse E. (Hrsg.), Die Texte aus Qumran. Hebräisch und deutsch, Darmstadt [2]1971.

Maurer Ch., Knecht Gottes und Sohn Gottes im Passionsbericht des Markusevangeliums: ZThK 50 (1953) 1-38.

Nauck W., Freude im Leiden. Zum Problem einer urchristlichen Verfolgungstradition: ZNW 46 (1955) 68-80.

Nestle E. (- Aland K.), Novum Testamentum Graece, Stuttgart [25]1963.

North Ch. R., The Suffering Servant in Deutero-Isaiah. An Historical and Critical Study, London [2]1956.

Otto R., Reich Gottes und Menschensohn. Ein religionsgeschichtlicher Versuch, München [3]1954.

Rad G. v., Theologie des Alten Testaments I., München [5]1966.

Rahlfs A., Septuaginta, id est Vetus Testamentum graece iuxta LXX interpretes I. II., Stuttgart [5]1952.

Reventlow H. Graf, Rechtfertigung im Horizont des Alten Testaments (Beiträge zur evangelischen Theologie 58) München 1971.

Rössler H. D., Gesetz und Geschichte. Untersuchungen zur Theologie der jüdischen Apokalyptik und der pharisäischen Orthodoxie (WMANT 3) Neukirchen Kreis Moers 1960.

Rost L., Einleitung in die alttestamentlichen Apokryphen und Pseudepigraphen einschließlich der großen Qumran-Handschriften, Heidelberg 1971.

Rowley H. H., Apokalyptik, ihre Form und Bedeutung zur biblischen Zeit. Eine Studie über jüdische und christliche Apokalypsen vom Buche Daniel bis zur Geh. Offenbarung (dt.), Einsiedeln-Zürich-Köln [3]1965.

Ruppert L., Der leidende Gerechte. Eine motivgeschichtliche Untersuchung zum Alten Testament und zwischentestamentlichen Judentum (FzB 5) Würzburg 1972.

— Der leidende Gerechte und seine Feinde. Eine Wortfelduntersuchung (FzB 6) Würzburg (voraussichtlich 1973).

Schmidt H., Das Gebet der Angeklagten im Alten Testament (BZAW 49) Gießen 1928.

Schmidt H. H., Gerechtigkeit als Weltordnung. Hintergrund und Geschichte des alttestamentlichen Gerechtigkeitsbegriffs (BHTh 40) Tübingen 1968.

Schmidt K. L., Der Rahmen der Geschichte Jesu. Literarkritische Untersuchungen zur ältesten Jesusüberlieferung (Berlin 1919) Darmstadt 1964 (unveränderter Nachdruck).

Schnackenburg R., Gottes Herrschaft und Reich. Eine biblisch-theologische Studie, Freiburg 1959.

Schneider G., Die Frage nach Jesus. Christus-Aussagen des Neuen Testaments, Essen 1971.

— Das Problem einer vorkanonischen Passionserzählung: BZ NF 16 (1972) 222-244.

— Verleugnung, Verspottung und Verhör Jesu nach Lukas 22,54-71. Studien zur lukanischen Darstellung der Passion (StANT 22) München 1969.

Schreiber J., Die Markuspassion. Wege zur Erforschung der Leidensgeschichte, Hamburg 1969.

Schwarzwäller K., Die Feinde des Individiums in den Psalmen, I. II., Dissertation Hamburg 1963.

Schweizer E., Erniedrigung und Erhöhung bei Jesus und seinen Nachfolgern (AThANT 28) Zürich [2]1962.

— Das Evangelium nach Markus (NTD 1) Göttingen [11]1967 (= 1. Aufl. dieser Bearbeitung).

— Der Menschensohn. (Zur eschatologischen Erwartung Jesu): ZNW 50 (1959) 185-209.

Sjöberg E., Der verborgene Menschensohn in den Evangelien, Lund 1955.

Stählin G., Die Apostelgeschichte, in: NTD II (Das Evangelium nach Johannes. Die Apostelgeschichte) Göttingen 1963.

Steck O. H., Israel und das gewaltsame Geschick der Propheten. Untersuchungen zur Überlieferung des deuteronomistischen Geschichtsbildes im Alten Testament, Spätjudentum und Urchristentum (WMANT 23) Neukirchen-Vluyn 1967.

Suggs M. J., Wisdom 2,10 - 5: A Homily Based on the Fourth Servant Song: Journal of Biblical Literature 76 (1957) 23-33.

Tödt H. E., Der Menschensohn in der synoptischen Überlieferung, Gütersloh 1959.

Vögtle A., Art. Menschensohn, in: LThK[2] VII 1962, 297-300.

Volz P., Die Eschatologie der jüdischen Gemeinde im neutestamentlichen Zeitalter, Hildesheim 1966 (= Reprograph. Nachdruck der Ausgabe Tübingen 1934).

Wellhausen J., Die Pharisäer und die Sadducäer. Eine Untersuchung zur inneren jüdischen Geschichte, Göttingen ³1967.

Wichmann W., Die Leidenstheologie, eine Form der Leidensdeutung im Spätjudentum (BWANT 53) Stuttgart 1930.

Wilckens U., Die Missionsreden der Apostelgeschichte. Form- und traditionsgeschichtliche Untersuchungen (WMANT 5) Neukirchen-Vluyn ²1963.

Stellenregister (in Auswahl)

1. ALTES TESTAMENT

Genesis
5,21-24 72

Exodus
12,46 66
32,31f 74

2 Samuel
6 35
7 35

2 Könige
2,1-13 72

2 Makkabäer
6,18-7,41 22
6f 44,A.5.46.72
7 46,A.13

Psalmen
5,9 16
9 40
9,29 LXX 21.40
10 40
13 29.30
18 (= 2 Sam 22)
  16.17.31.32.35,A.17.
  36.37
18,2.32 33
18,7 33
18,[21].25 16.38.41
18,44 33
18,47 33
18,49 33.43,A.1
22 13.30.32.35.36.37.
  50f,A.31.51.52
22,2 52
22,8 50,A.31
22,9 57,A.48

Psalmen
22,30 51,A.31
27(26),12 55,A.43
31 13.36.51
34 20.21.26.42
34,20 21.24.36.65.66
34,21 66
35,6 51
35(34),11 55,A.43
35,16.21 52,A.34
37 20.26.40
37,12.14 40
37(36),22 55,A.43
38 18
38,12 58
38(37),14.16 55,A.43
39 36
39(38),9f 55,A.43
41 51
41,5 36
41,10 50
42/43 18
46 34
48 34
49,16 43.73
54(53),5 55,A.43
56,14 43,A.2
69 13.18.51
69,5 51,A.33
69,7 51,A.33
69,10 51,A.33
69,18 51,A.33
70,4 52,A.34
71,2 8
73,24 43.73
76 34
88 36
88,9 58
89 35
102,9 52,A.34
109(108),2f 55,A.43
116,8 43,A.2

Psalmen
119 20.21.26.28.37.38.
  39.42
119,40 16
119,46 40
119,143 37
119,150f 37
140 18
141 18
143,1.11 16

Jesaja
3,10 LXX 21
5,23 19
42,1 19
49,1 19
50,4-9 19.52.54
52,13 53
52,13-53,12 19.23.27.40
53 13.14.20.21.54.59.74
53,11 20.40
53,12 49,A.24

Jeremia
1,15 34,A.16
20,7 52,A.34
26,18 34,A.16

Daniel
7 62,A.68
7,13f 62
11,33-35 27.40.43
12,1-3 27.40.43
12,2f 23
13 (= Susanna) 22

Amos
2,5 19
5,11 19

Micha
3,12 34,A.16

Habakuk
1,4.13 *19*

Sacharja
11,12f *49,A.24*
13,7 *49,A.24*

Ijob
9,22f *21*
30,10 *52,A.34*
38,1-42,6 *37*

Sprüche
1,11 *21*
6,17 *21*
10-29 *30*
19,22 *21*
24,16 *19*
28,28 *21*

Weisheit
2,12-20 *23.27.38.40.41.*
        43.54.55f.56.
        68.72.75,A.7
2,13 *75,A.7*
2,18 *53*
2,20 *24.53*
4,7-20 *72*
5,1 *44.55.69*
5,1-3 *69*
5,1-7 *23.24.27.38.40.41.*
      43.46.54.55f.56.
      68.70.72.75,A.7
5,2 *54.55*
5,3-7 *55*
5,4 *69.70*
5,5 *70*
5,6f *69*

2. NEUES TESTAMENT

Mattäus
5,10-12 *39.48*
8,20 *62*

Mattäus
10,38 *44*
25,31 *70*
25,31-46 *70*
27,10 *49,A.24*
27,19 *13.47.56.57*
27,24f *57*
27,34 *51*
27,35 *50,A.31*
27,39 *50,A.31*
27,43 *50,A.31.57,A.48*
27,46 *50,A.31*
27,52f *51,A.31*
27,54 *57*
28,2 *51,A.31*

Markus
1,14f *74*
2,10 *61.62,A.65*
2,20 *60,A.57*
2,28 *61.62,A.65*
8,31 *47.56.60.61.62,*
      A.66.63.65
8,34 *44*
8,38 *61.70*
9,9 *63*
9,12 *62,A.66*
9,31 *56.60.61.63.71*
10,32-34 *65*
10,33(f) *56.60.61.63*
10,35 *56*
10,38f *60,A.57*
10,45 *74*
14f *10-13*
14,17 *11*
14,18 *50*
14,21 *62,A.66.63*
14,24 *74*
14,27 *49,A.24*
14,41 *62,A.66.63*
14,43 *10*
14,55-65 *53.56*
14,56f *52*
14,61(f) *52.53*

Markus
14,62 *61.62,A.67*
14,64 *55*
14,65 *52.54*
15 *11.12*
15,1 *11*
15,16-20 *52*
15,23 *51.57*
15,24 *50,A.31*
15,29 *50,A.31*
15,34 *46,A.15.50,A.31.*
      52
15,36 *51.57*
15,39 *52.56*
15,42 *11*
16,1 *11*

Lukas
1,35 *47,A.17*
9,58 *62*
11,30 *62,A.65,A.67*
11,49-51 *57*
12,8(f) *61.62,A.67,*
        A.69.66.69.70.
        71,A.98
13,31-33 *64,A.78*
13,32 *64*
13,33 *57.60.64.74*
17,13f *61*
17,22.26 *62,A.65*
22,15 *47,A.16*
22,37 *49,A.24*
22,48 *63*
22,69 *55*
23,34 *50,A.31*
23,36 *51*
23,46 *46,A.15.51.58*
23,47 *13.48.57.58*
23,48 *58*
23,49 *58*
24,19 *57*
24,26 *47,A.16.59*
24,44-46 *59*
24,46 *47,A.16*

Johannes
13,18   50,A.28
19,24   50,A.31
19,36   66

Apostelgeschichte
1,3   47,A.16
2,33   11
3,14   13.47
3,18   47,A.16
5,31   11
7   46
7,52   13.47.70
7,56   70
17,13   47,A.16
22,8   48,A.17
22,14   13.47

Römer
1,3f   44

1 Korinther
15,4b   64

Galater
3,13   59

Philipper
2,6-11   44
2,9   11

Hebräer
2,18   47,A.16

Hebräer
9,26   47,A.16
13,12   47,A.16

1 Petrus
2,12   47,A.16
2,23   47,A.16
3,18   13.47,A.16.48,
        A.19
4,1   47,A.16

1 Johannes
2,1   13

**3. QUMRAN-SCHRIFTEN
UND APOKRYPHEN**

Hodajot (1QH)
2-8   22.27.29
2,20-30   23
3,37-4,4   23
15,14,17   23

**Kommentar zu
Ps 37 (4QpPs 37)**   22.27

4 Makkabäer
7,24-18,3   46,A.13
18,6b-19   24.27
18,15   24

Äthiopischer Henoch
38-69   62
38,2   48.70
53,6   48.70

Äthiopischer Henoch
62f   69
62,3.5   69
62,7   67
62,10   69
63,4   69
63,6.8   70
70f   62.67
70,1(f)   67,A.90.73
70,14   67
71,11   68
81,6   73
91,1-10.18f   24
92   24
94-104   24
95,7   24
96,8   24
98,13f   24
100,7   24
103,5c.6   24
103,9b.c-15   24
104,1f.4-6   25
104,3   24.25

4 Esdras
3,27.30   25
7,17   25
7,79.89.96   25
8,27.56-58   25
13   62

Syrischer Baruch
15,7f   26
48,49f   26
52,6f   26.28.38

Sachregister (in Auswahl)

Anamnese *11.12*
Anfechtung *25.28*
Angeklagter *17.38*
Anthropologie (atl.) *29.30.42*
Apokalyptik *27.28.29.38.39.43.*
62.66.73.74
apokalyptisch *25.27.37.39.40.41.*
42.72.75
Apologetik *13.59*
Armenfrömmigkeit *41*
Armentheologie *24.26.28.39f,41*
Armer *21.31.41*
Auferstehung *24.40.43.44.50.51,*
A.31.58.74
Auferstehungsglaube *23*
Bedrängnis (des/der Gerechten)
18.19.21.25.27.30
Bedrängnis-Errettungstradition *35*
Belastungszeuge *24.55.69.71,A.98*
Bund (Qumran) *39.41*
Christologie (christologisch)
15.29.42.45.47,A.17.75
Christuskerygma *9*
dritter Tag *64.65*
Elender *40*
Elija *72*
Endgericht *69.70*
Entrückung *43.44.67.72.73*
Erhöhter *36.44.66.73*
Erhöhung *14.15.33.36.40.42.44.*
67.68.72.75
Erhöhungsvorstellung *11,A.17*
Erniedrigung *14.15.44*
Erprobungstheologie *26f*
Erretteter *36.64.66*
Errettung *18.23.33.34.35.36.37.40.*
41.43,A.1.44.51.64.65
Erziehungstheologie *26f*
eschatologisch *23.24.25.27.50f,*
A.31.61.62.66.67.68
69.70.71
Feindbedrängnis *16.17.18.33.43*

Feinde *17.18.22.23.25.33.34.38.69*
Fels *33.35*
Freude (der Gerechten) *26.38*
Frevler *16.18.19.21.40.43*
Frommer *16.18.25.28.29.30.36.39.*
41.46.72
Führungstheologie *26f*
Gebete der Angeklagten *17.28*
Gekreuzigter *11.58*
Gemeinde der Armen *27*
Gemeindeversammlung (kultische)
12
Gemeinschaftstreue *17.35.38*
der (Gerechte) *passim*
Gerechtigkeit *16.17.18.37.38.39.*
41.42
Gesetzesfrömmigkeit *41*
Gottloser *21.41*
Gottesgemeinschaft *37.38*
Gottesstadt *33.34.35*
Gottverlassenheit *31.36.37.38*
Heilsbedeutung *59*
Heilsgewißheit *28*
Heilsorakel *17.38.39*
Henoch *67.68.71.72*
Himmelfahrt (Jesu) *73*
Institutionen (sakrale) *39.41*
Jeremia *19.22.27.32*
Jesus (historischer) *9*
Knecht Jahwes (Gottesknecht)
19.20.23.27.40.51,A.33.52.53.
54.74
König (davidischer) *16.17.32.33.*
34.38.39
Kranker *18*
Krankheit *18.30.43,A.4*
Kreuzigungsszenen *50*
(Heiliger) Krieg *39*
Kultdrama *32*
Lehrer der Gerechtigkeit *22.27.39*
Leiden (passio) des/der Gerechten
passim

Leiden (Passion) Jesu (Christi)
42.45.47.48.49.50.56.57.58.59.74
Leiden (urbildliches) *31.32.33.37.*
41
Leidender *30.31.36*
Leidensansagen (Leidensweissagun-
gen) *56.60.63.64.66*
Leidenstheologie (rabbinische)
43.74,A.6.75
Märtyrer (martyrologische Farben)
22.23.43.44,A.5.46.53.57.58.74,
A.6
Märtyrerfrömmigkeit *41.42*
Märtyrerlegende (Martyrien-
legende) *22.43.45f.72*
Märtyrertheologie *40.41*
Martyrium *27.40,A.30.46.58,*
A.51.72.74,A.6
Menschensohn *passim*
— Bestimmung z.M. *68.71*
— Einsetzung z.M. *67.68.71.75*
Menschensohnbewußtsein (Jesu)
71
Menschensohnlogia *60.61.62.67.*
70.73
Menschensohnproblem *61*
Messias (messianisch) *11.13.45.47,*
A.17.48.58.
59.65,A.83.
70
Muß (göttliches) *59*
Nachfolge (Jesu) *14*
Parusie *55*
Parusieerwartung *11,A.17*
Passion (Leidensgeschichte) *passim*
Pharisäer *23.25.64*
Prophet (leidender) *19.20.32.57.*
60.74.75
Prophetenschicksal *60*
Prozeß Jesu *52*
Psalmen vom leidenden Gerechten
(Leidenspsalmen) *15.16.48.49.50.*
51.55

Rechtsentscheid Jahwes *17*
Rechtshilfe (Jahwes) *16*
Redequelle (Q) *62*
Sadduzäer *24*
Schriftbeweis *12*
Selbsterniedrigung *44*
Selbstverständnis (der/des
Gerechten) *29*
Selbstverständnis Jesu *73.75*
Spiritualisierung *39*
Sohn Gottes *53.54.56.57*
Sünder *24.25*
Sühne *75,A.7*
Sühnkraft (der Leiden) *74,A.6*
Theodizee *25*
Titel (christologische, messianische)
9.47,A.17.59,A.55
Tora (Gesetz) *38.39.41.42*
Urgemeinde *9.11.12.13.45.48.49.*
52.58.59.67.68.75
Urkerygma (ältestes Kerygma)
45.65
Verherrlichung (glorificatio)
20.23.41.44.46.55.58.59.68.72.75
Verhör Jesu (Verhörszene) *53.54.*
55.56
Verkündigung Jesu *61.74*
Verrat (des Judas) *50.52*
Verspottung Jesu (Verspottungs-
szene) *52.54*
Völkersturm (motiv) *33.34*
Volk (erwähltes) *25*
Vollendung (Jesu) *65.66.71*
Weg Jesu *14.42.45.56.60,A.58.66.*
68.72.74
Weisheit (Chokma) *20.21.26.30.36*
Weissagungsbeweis *49.57*
Zeuge (eschatologischer) *61.62.72*
Zion *33.34.35*
Ziontradition *32.35,A.17*
Zionstheologie *34,A.16*